DE HORLOGEMAKER VAN EVERTON

Van Simenon verschenen eveneens:

Maigret in Holland
Maigret en de moord op de Quai des Orfèvres
Maigret en zijn dode
Maigret op kamers
Maigret incognito
Getuige Maigret
Maigret en hotel Étoile du Nord

Romans
De weduwe Couderc
Schele Marie
Zondag
De trein
De blauwe kamer

In de reeks *De twintigste eeuw* verschenen:
Simenon – De zoon/Striptease/Brief aan mijn rechter
Simenon – Maigret en de man met de gele schoenen/Maigret en de Maniak van Montmartre/Maigret en de clochard

Simenon

De horlogemaker van Everton

vertaald door Regina Sengers-Bon

PANDORA

Pandora Pockets maakt deel uit van Contact BV
Deze uitgave verschijnt in samenwerking met Uitgeverij Atlas, Amsterdam

Oorspronkelijke titel: *L'horloger d'Everton*

Redactionele begeleiding: Penta Taal, Zeist

Omslagontwerp: Studio Jeroen van den Boom, Arnhem
Omslagillustratie: ©Berenice Abbot

ISBN 90 254 1784 1
NUR 302

www.boekenwereld.com

Hoofdstuk 1

Tot middernacht, nee, zelfs tot één uur 's nachts, verliep alles exact hetzelfde als alle andere avonden, of om nog preciezer te zijn, hetzelfde als alle andere zaterdagen, die net een beetje anders waren dan de andere dagen.

Zou die avond in zijn beleving anders zijn geweest, of zou hij er meer van hebben proberen te genieten als hij had geweten dat het de laatste avond was als gelukkig man? Op deze vraag moest hij naderhand een antwoord zien te vinden, net als op al die andere vragen, bijvoorbeeld op de vraag of hij ooit wel echt gelukkig was geweest.

Maar daar was hij nu nog niet mee bezig. Hij was tevreden met zijn leven, had geen haast, geen problemen, zag ook geen problemen, al die uren die zo op elkaar leken dat hij had kunnen denken ze al beleefd te hebben.

Zelden sloot hij zijn winkel precies om zes uur. Bijna altijd stond hij pas een paar minuten over zessen op van zijn werktafel, waarboven de horloges die hij moest repareren aan kleine haakjes hingen. Hij haalde dan de in zwart eboniet gevatte loep voor zijn rechteroog weg, die hij bijna de hele dag als een monocle droeg. Misschien had hij na al die jaren nog steeds het gevoel dat hij voor een baas werkte en wilde hij niet de indruk wekken dat hij al om zes uur zijn jas aan had om weg te gaan?

Mevrouw Pinch naast hem, die een makelaarskantoor

had en appartementen verkocht en verhuurde, sloot haar kantoor precies om vijf uur. De kapper daar weer naast nam vanaf halfzes geen klanten meer aan, bang dat hij te lang moest doorgaan. Als Galloway de deur van zijn etalage opendeed om op te gaan ruimen, zag hij de kapper bijna altijd al in zijn auto stappen om naar huis te gaan. Naar zijn mooie huis in de woonwijk op de heuvel en zijn drie schoolgaande kinderen.

Met trage gebaren, maar wel heel secuur – tenslotte was Dave Galloway het gewend om met kostbare kwetsbare voorwerpen te werken – haalde hij gedurende een paar minuten zijn horloges en sieraden uit de etalage en borg ze op in de brandkast achter in zijn winkel.

Het duurste horloge kostte nog geen honderd dollar en daarvan had hij er maar één. De andere waren een stuk goedkoper. Alle sieraden waren van zilver- of goudkleurig materiaal, met nepstenen. In het begin had hij nog wel geprobeerd om verlovingsringen met een echt diamantje van ongeveer een halve karaat te verkopen, maar de mensen uit Everton gingen voor dat soort aankopen liever naar Poughkeepsie of zelfs helemaal naar New York omdat ze zich waarschijnlijk ongemakkelijk voelden als ze hun verlovingsring op afbetaling kochten bij iemand die ze kenden.

Hij deed vervolgens de inhoud van de kassa in de brandkast, trok zijn beige stofjas uit en hing die aan het haakje aan de binnenkant van de kastdeur, schoot in zijn colbertje en wierp nog een blik om zich heen om zich er van te vergewissen dat alles in orde was.

Het was eind mei; de zon stond nog tamelijk hoog aan de zachtblauwe hemel en het was de hele dag windstil geweest.

Toen hij buiten stond en de deur had afgesloten, wierp hij automatisch een blik op de bioscoop, het Colonial Theatre, waar net de reclamelichten aanfloepten, hoewel het nog klaarlichte dag was. Dat was iedere zaterdag zo, vanwege de voorstelling van zeven uur. Voor het theater was een grasveld met een paar lindebomen, waarvan de bladeren bijna roerloos neerhingen.

Voor de deur stak Galloway een sigaret op, één van de vijf of zes sigaretten die hij iedere dag rookte, daarna liep hij langzaam om het lange gebouw heen, voor alle winkels langs.

Hij woonde zelf op de eerste verdieping, vlak boven zijn zaak, maar er was geen trap vanuit de winkel naar zijn woning. Hij moest net voorbij de kapperszaak linksaf naar de achterkant van het gebouw omdat daar de ingang van de woningen was.

Zoals bijna elke zaterdag was zijn zoon in de loop van de middag even langs geweest om te zeggen dat hij niet thuis kwam eten. Hij zou wel weer ergens een hotdog of een broodje halen, hoogstwaarschijnlijk bij Macks Lunch.

Galloway liep de trap op, draaide de sleutel in het slot om en ging meteen het raam openzetten, vanwaar hij bijna hetzelfde uitzicht had als vanaf zijn werkplek, met dezelfde bomen, met dezelfde reclamelichten van de bioscoop die in het zonlicht enigszins vreemd, bijna verontrustend aandeden.

Hij was zich er niet van bewust dat hij iedere dag alles in dezelfde volgorde deed en dat hij er daardoor misschien zo vreedzaam en geruststellend uitzag. De keuken was keurig opgeruimd, tussen de middag waste hij altijd eerst af voordat hij weer naar beneden ging. Hij wist wat voor koud vlees er in de koelkast lag en waar het precies lag. Hij handelde volledig automatisch, de tafel was binnen de kortste keren gedekt met een glas water, brood en boter; de koffie in de percolator begon al te koken.

Als hij alleen was pakte hij iets te lezen tijdens het eten, maar het gekwetter van de vogels of het starten van een bekende auto drong nog wel tot hem door. Vanaf de plaats waar hij zat kon hij ook wat jongeren zien die naar de bioscoop liepen. Kennelijk besloten die pas op het allerlaatste moment of ze er naar binnen gingen.

Hij dronk zijn koffie met kleine slokjes, waste alles af en veegde de kruimels van tafel. Zijn hele doen en laten was net als altijd en tegen zevenen stond hij weer buiten. Hij groette de garagehouder die met zijn vrouw naar de bioscoop liep.

Verderop zag hij jongens en meisjes staan, maar Ben was er niet bij. Hij deed verder geen moeite hem te vinden, want hij wist dat zijn zoon het niet prettig vond als zijn vader hem in de gaten hield.

Er was trouwens geen sprake van in de gaten houden en Ben wist dat drommels goed. Als zijn vader het soms zo aanlegde dat hij hem zien kon, dan was dat niet om het doen en laten van zijn zoon na te gaan, maar alleen omdat hij het fijn vond even contact met hem te hebben, ook al was het maar vanuit de verte.

Geen enkele jongen van zestien begrijpt zoiets. Het was dan ook heel gewoon dat Ben liever niet wilde dat zijn vader naar hem stond te kijken als hij met zijn vrienden aan het praten was. Daar hadden ze samen nooit over gepraat, maar Galloway voelde dat wel zo en hield daar rekening mee.

Het gebouw waarin hij zijn winkel en woning had stond bijna op de hoek van Main Street; die sloeg hij in en hij liep langs de drugstore die tot 's avonds negen uur open was, dan langs het postkantoor met zijn witte pilaren en langs de krantenverkoper. De voorbijrijdende auto's minderden nauwelijks vaart, sommige zelfs helemaal niet, alsof ze er geen erg in hadden dat ze een dorp passeerden.

Na de benzinepomp, nog geen halve kilometer van zijn huis af, sloeg hij rechtsaf een straat in. Aan weerszijden een rij bomen en witte huizen met gazons rondom. Het was een doodlopende straat en daarom stonden er alleen maar auto's van mensen die er woonden. Alle ramen stonden open, buiten speelden nog kinderen, mannen duwden motormaaiers over hun gazon, de mouwen van hun overhemd opgestroopt.

Ieder jaar kende wel van zulke zachte, zwoele avonden met maaigeluiden. Net zoals de herfst het geluid van het bijeenharken van dode bladeren en daarna die typische geur van het verbranden van bladeren met zich meebracht, 's avonds voor de huizen. En dan kwam later in het jaar onvermijdelijk het schraperige geluid van spaden over bevroren sneeuw.

Met een handgebaar of een enkel woord beantwoordde hij af en toe een groet.

Op dinsdag ging hij ook altijd 's avonds de deur uit om op het stadhuis naar de vergadering te gaan van het schoolbestuur waarvan hij secretaris was. De andere avonden, behalve dus op zaterdagavond, bleef hij meestal thuis en las wat of keek tv. De zaterdagavond bracht hij door bij Musak, die ongetwijfeld al op hem zat te wachten in een van de schommelstoelen op zijn veranda.

Zijn huis, van hout net als de andere huizen daar in de buurt, was het laatste huis van de rij en stond tegen een wal, waardoor de eerste verdieping aan de andere kant van het huis de begane grond was. In plaats van wit was het lichtgeel geschilderd en nog geen vijftig meter verderop was een open plek waar de buurtbewoners alles dumpten waar ze vanaf wilden, oude opklapbedden, kapotte kinderwagens, gedeukte vaten.

Vanaf het terras hadden beide mannen uitzicht op het sportveld van de gemeente, waar in de zomer de baseballploeg iedere avond oefende.

Aan plichtplegingen deden ze niet. Galloway kon zich niet herinneren dat ze elkaar ooit een hand hadden gegeven. Als hij binnenkwam bromde Musak vaag iets en maakte een handgebaar richting de andere schommelstoel.

Die avond verliep net als alle andere zaterdagen. Vanuit de verte zagen ze de witte shirtjes van de spelers bewegen over het groene sportveld dat langzaam aan steeds donkerder werd. Ze hoorden hun geschreeuw, het schelle fluitje van de wel erg dikke trainer die overdag achter de toonbank stond bij de ijzerhandel.

'Mooie avond!' was alles wat Galloway had gezegd toen hij eenmaal zat.

Een poosje later had Musak gebromd: 'Als ze niet snel die beroerde pitcher vervangen door een ander, staan we aan het eind van het seizoen weer onderaan.'

Wat Musak ook zei, het klonk altijd bars en slechts zelden kon er een glimlach af. Eigenlijk herinnerde Dave Galloway zich niet hem ooit te hebben zien glimlachen. Wel kon het gebeuren dat zijn vriend uitbarstte in een luide lach. Wie hem niet kende schrok daar soms erg van.

De mensen uit het dorp waren niet bang meer voor Musak omdat ze aan hem gewend waren. Ergens anders zou hij kunnen worden aangezien voor een oude gevluchte misdadiger, met foto's op het politiebureau, en profil alsmede en face, met daaronder de tekst: 'Gezocht door de FBI.'

Galloway wist zijn leeftijd niet en het zou nooit in hem zijn opgekomen daarnaar te vragen. Hij had hem ook nooit gevraagd uit welk Europees land hij als kind naar Amerika was gekomen. Hij wist alleen dat hij de overtocht op een immigrantenboot had gemaakt met zijn vader, moeder en vijf of zes broertjes en zusjes en dat ze eerst in een buitenwijk van Philadelphia hadden gewoond. Wat was er van zijn broers en zussen geworden? Daar hadden ze samen nooit over gepraat, net zo min als over wat Musak had gedaan voor hij in Everton was komen wonen, in zijn eentje, zo'n jaar of twintig daarvoor.

Hij was ongetwijfeld getrouwd geweest, want hij had ergens in het zuiden van Californië een dochter, die hem foto's stuurde van haar kinderen. Zij kwam hem nooit opzoeken en hij was daar nog nooit geweest.

Was Musak gescheiden? Of weduwnaar?

In een bepaalde periode van zijn leven had hij in een pianofabriek gewerkt. Dat was alles wat Galloway wist. Bovendien had hij genoeg geld gehad om een huis te kunnen kopen toen hij in Everton kwam.

Waarschijnlijk was hij al zestig, misschien zelfs iets ouder. Sommigen beweerden dat hij al over de zeventig was, wat best zou kunnen.

Van 's morgens vroeg tot 's avonds laat werkte hij in de werkplaats achter zijn huis, waar de eerste verdieping begane grond werd, zodat de werkplaats een directe verbinding met zijn slaapkamer had. Ze zaten er vaak in de winter, als ze niet meer op de veranda konden blijven.

Musak was bezig met de afwerking van het een of ander, altijd een fijn werkstuk. Hij had zulke grove handen dat je zou kunnen denken dat hij niet tot zulk fijn werk in staat was. Er bevond zich een gietijzeren kachel midden in het vertrek waar je je nek brak over de werkbanken; lijm stond op te warmen in een pannetje heet water en de grond lag bezaaid met houtkrullen.

Hij was gespecialiseerd in het maken van dingen waarvoor veel geduld nodig was. Zoals het repareren van kasten van oude klokken of antieke meubels. Hij maakte ook wel eens zelf ingewikkelde meubelstukjes, kistjes met inlegwerk van mahonie of andere tropische houtsoorten.

Ze konden urenlang blijven zitten zonder dat een van beiden iets zei, tevreden kijkend naar de spelers die heen en weer renden terwijl de zon langzaam achter de bomen zakte en alles geleidelijk aan vager werd tot het dezelfde kleur kreeg als de lucht.

De geur van houtkrullen, samen met die van lijm, was voor Dave Galloway typerend voor de winteravonden.

De zomeravonden op het terras hadden een andere geur, even duidelijk herkenbaar: die van de pijp van Musak, die met rustige trekjes zat te roken. Hij rookte altijd een speciaal soort tabak met een scherpe maar toch niet onaangename geur. Kleine rookwolkjes dreven naar Galloway en vermengden zich met de geur van het vers gemaaide gras in de tuinen uit de buurt. Alles was doordrongen van tabaksrook, zijn kleren, zijn huiskamer. Je zou zweren dat zelfs zijn lijf naar de pijp rook.

Waarom had hij, terwijl hij toch zo handig was en altijd zo akelig secuur bij alles wat hij onder handen nam, zijn lievelingspijp met een simpel ijzerdraadje gerepareerd? Bij ieder trekje dat hij nam ontsnapte er met een eigenaardig geluid een beetje lucht door de barst. Het leek op de ademhaling van een ernstig zieke.

'Tegen wie spelen ze morgen?'

'Radley.'

'Dan worden ze in de pan gehakt.'

Iedere zondag was er een baseballwedstrijd en Galloway zat dan op de tribune. De oude Musak vond het wel best en volgde de wedstrijd vanaf zijn veranda. Hij had verbazingwekkend goede ogen. Zelfs vanaf die grote afstand herkende hij elke speler en op zondagavond had hij de namen van alle inwoners die bij de wedstrijd waren zo kunnen opnoemen.

De bewegingen op het veld werden trager, de stemmen minder schel, het fluitje van de scheidsrechter klonk met grotere tussenpozen. In het halfduister konden ze de bal nog maar nauwelijks zien. Het werd een beetje fris, alsof de lucht die tot dan toe onbeweeglijk was, bij het vallen van de nacht ontwaakte.

Misschien was hun beider verlangen om naar binnen te gaan en zich over te geven aan hun geliefde bezigheid op de zaterdagavond, even groot. Toch wachtten ze nog op het slotsignaal, alsof ze dat hadden afgesproken. Geen van tweeën verroerde zich voordat alle gedaantes in hun witte shirt in een hoek van het veld bij elkaar gingen staan voor het commentaar van de trainer.

Op dat moment was het al bijna helemaal donker. De radio's in de huizen in de buurt schetterden steeds harder, sommige vensters werden verlicht, achter andere ramen bleef het donker vanwege de tv.

Dan pas keken ze naar elkaar en scheen de een tegen de ander te zeggen: Zullen we?

Een merkwaardige vriendschap was het tussen die twee. En evenmin als Musak had Galloway kunnen zeggen hoe die was ontstaan. Ze schenen er ook totaal geen erg in te hebben dat ze twintig jaar scheelden.

'Als ik me niet vergis moet ik nog revanche nemen.'

Niet tegen zijn verlies kunnen, was eigenlijk de enige slechte eigenschap van de meubelmaker. Hij werd niet kwaad en sloeg ook nooit met zijn vuist op tafel, maar meestal zei hij dan niets, hij zat dan te mokken als een klein kind. Een enkele keer kwam het voor dat hij na een avond waarop hij gigantisch had verloren, wel een dag of twee, drie aan Galloway voorbijliep alsof die lucht voor hem was.

Hij knipte het licht aan en ze stapten binnen in een andere sfeer, nog rustiger, nog meer beschut dan de plek die ze net verlieten. De huiskamer was gezellig, net zo netjes onderhouden als door welke vrouw ook, met mooie, zorgvuldig geboende meubels, en Galloway had nog nooit meegemaakt dat het er niet keurig opgeruimd uitzag.

Het triktrakspel stond al klaar op een tafeltje, altijd op dezelfde plek, tussen dezelfde fauteuils, een staande schemerlamp ernaast. Ze vonden het prettig de rest van de kamer halfdonker te laten; alleen hier en daar werd het licht van de schemerlamp een beetje weerkaatst.

De fles whisky en de glazen stonden ook klaar en ze hoefden alleen nog maar ijs uit de keuken te halen voor ze met hun partij konden beginnen.

'Op je gezondheid.'

'En op die van jou.'

Galloway dronk niet veel, hoogstens twee glazen op de hele avond. Musak daarentegen schonk zichzelf vijf of zes keer in zonder dat dit enig effect op hem leek te hebben.

Ieder wierp een dobbelsteen.

'Zes! Ik mag beginnen.'

Bijna twee uur lang was er niets anders te horen dan het geluid van vallende dobbelstenen en schuivende zwarte en witte schijven. De pijp reutelde zacht. Uiteindelijk hing de scherpe rook helemaal om Galloway heen. Heel af en toe zei een van beiden iets, zoals: 'John Duncan heeft een nieuwe auto gekocht.'

Of: 'Ze zeggen dat mevrouw Pinch Meadow Farm voor vijftig duizend dollar verkocht heeft.'

Daarop was geen antwoord nodig. Zo'n opmerking riep geen vragen op en verder commentaar was overbodig.

Ze speelden tot halftwaalf, veel later werd het bijna nooit. Musak verloor het eerste potje en won er vervolgens drie, waardoor ze gelijk kwamen te staan, als je de vorige keer meetelde.

'Ik heb toch gezegd dat ik je wel zou krijgen! Ik verlies alleen als ik me niet genoeg concentreer. Nog een laatste glas?'

'Nee, dank je.'

De meubelmaker schonk zichzelf nog wel een keer in en dat glas dronk hij telkens zonder er water bij te doen. Ook werd tegen het eind van het spel zijn ademhaling altijd hoorbaar. Zijn neus maakte ongeveer net zo'n geluid als zijn pijp. Hij snurkte 's nachts waarschijnlijk ook, maar daar had niemand last van omdat hij alleen woonde.

Waste hij de glazen nog af voor hij naar bed ging?

'Welterusten.'

'Welterusten.'

'Nog steeds tevreden over je zoon?'

'Heel tevreden zelfs.'

Elke keer als Musak informeerde naar Ben, voelde Galloway zich opgelaten. Hij was ervan overtuigd dat zijn vriend niets vervelends wilde zeggen en het aardig bedoelde en ook geen enkele reden had om jaloers op hem te zijn. Maar misschien haalde hij zichzelf vreemde ideeen in zijn hoofd. Het leek Musak een beetje dwars te zitten dat Ben zo'n rustige jongen was over wie zijn vader nooit iets te klagen had.

Had hij vroeger misschien moeilijkheden met zijn dochter gehad? Of speet het hem dat hij geen zoon had?

Er veranderde iets in zijn stem en in zijn blik als hij dat onderwerp ter sprake bracht. Het leek alsof hij zeggen wilde: 'Prima! Prima! We zullen zien hoe lang dat zo blijft!'

Of dacht hij soms dat Galloway te hoge verwachtingen koesterde ten aanzien van zijn zoon?

'Speelt hij geen baseball meer?'

'Dit jaar niet.'

Verleden jaar hoorde Ben bij de beste spelers van zijn schoolteam. Dit jaar was hij er zonder reden plotseling mee gestopt. Zijn vader had niet aangedrongen. Ging dat niet zo bij alle kinderen? Het ene jaar zijn ze helemaal enthousiast over een spel of een bepaalde sport en het jaar daarop hoor je ze er niet meer over. Maandenlang trekken ze op met hetzelfde groepje vriendjes en dan is dat zomaar opeens over zonder dat er een reden voor lijkt te zijn en sluiten ze zich weer aan bij een ander groepje.

Natuurlijk had Galloway het liever anders gehad. Hij vond het echt jammer dat Ben was gestopt met baseball, want hij ging graag naar de schoolwedstrijden, zelfs als de ploeg van Ben zestig kilometer van huis moest spelen.

'Zeker, het is een goede knul.'

Maar waarom zei Musak dat op een toon of hij een punt zette achter het gesprek? Wat betekende die opmerking eigenlijk precies?

Misschien was Dave Galloway wel overdreven gevoelig als het over Ben ging. Het is toch heel gewoon dat mensen vragen: 'Hoe gaat het met je zoon?'

Of bijvoorbeeld zeggen: 'Wat heb ik Ben al een tijd niet gezien.'

Hij had de neiging om er meer achter te zoeken.

'Ik heb niet over hem te klagen,' was meestal zijn antwoord.

En dat was ook zo. Hij zou niets kunnen noemen. Ben had nooit problemen veroorzaakt. Ze hadden nooit ruzie. Galloway hoefde zijn zoon zelden straf te geven en als dat al eens nodig was, dan deed hij dat heel rustig en sprak met hem van man tot man.

'Welterusten.'

'Welterusten.'

'Tot zaterdag.'

'Ja.'

Door de week zagen ze elkaar een keer of tien, met name in het postkantoor, waar ze bijna iedere dag op dezelfde tijd hun post gingen ophalen. Als hij even weg moest of naar boven was hing Galloway een bordje op zijn deur: IK BEN ZO WEER TERUG.

Ze ontmoetten elkaar ook in de garage en bij de krantenverkoper. Maar als ze op zaterdagavond afscheid van elkaar namen zeiden ze onveranderlijk: 'Tot zaterdag.'

De scherpe geur van de tabak volgde Galloway nog een meter of tien en toen hij door het straatje liep richting Main Street waren de meeste lichten in de huizen al uit en hoorde hij vaag de geluiden van dezelfde bokswedstrijd waar nog maar in twee huizen naar werd gekeken.

Kostte het zes minuten om thuis te komen? Amper. Aan het eind van het dorp was alleen de Old Barn-kroeg nog open. Door de rode en groene lichten ervan dacht je meteen aan bier- en whiskymerken.

Hij liep naar de achterkant van het huizenblok en pas toen hij de steeg net voorbij de kapperszaak insloeg drong het tot hem door dat zijn eigen raam niet verlicht was.

Hij kon zich niet herinneren naar boven gekeken te hebben, maar wist zeker dat hij dat wel had gedaan, omdat hij dat altijd min of meer automatisch deed als hij 's avonds thuiskwam. En omdat het licht daar altijd aan was, dacht hij er verder niet bij na.

Nu echter, terwijl hij verder liep naar de trap, wist hij heel zeker dat het boven donker was. Toch werd er die avond niet gedanst of was er een party of iets anders waardoor Ben nog niet thuis kon zijn.

Hij liep de trap op en na een paar treden wist hij honderd procent zeker dat er geen licht brandde in de woning, want dan had hij een lichtstreepje onder de deur gezien.

Was Ben vroeg thuisgekomen en al naar bed? Mogelijk. Of hij voelde zich niet erg lekker.

Hij draaide de sleutel in het slot om en bij het openduwen van de deur riep hij meteen: 'Ben!'

Door de manier waarop zijn stem weergalmde wist hij dat er niemand was, maar dat kon hij niet geloven. Hij deed het licht in de huiskamer aan, liep naar de kamer van zijn zoon en herhaalde zo normaal mogelijk: 'Ben!'

Hij moest vooral niet laten merken dat hij ongerust was, want als Ben er wel was, als hij inderdaad in bed lag, dan zou hij hem onaangenaam verrast aankijken en vragen: 'Is er iets?'

Er was niets, natuurlijk. Er kon ook niets zijn. En vooral: nooit laten merken dat je ongerust bent, vooral niet aan een jongen die bijna volwassen is.

'Ben je thuis?'

Hij deed z'n best om een glimlach op zijn gezicht te toveren, alsof zijn zoon hem al aankeek.

Maar Ben was niet thuis. Zijn kamer was leeg. Zijn bed was niet beslapen.

Had hij misschien een briefje op tafel gelegd, zoals hij wel eens vaker deed?

Er lag niets. De lichtreclame van de bioscoop aan de overkant was inmiddels uit. De tweede voorstelling was al meer dan een half uur afgelopen en de laatste auto's waren vertrokken. Op weg naar huis was Dave Galloway geen levende ziel tegengekomen.

Het was maar twee keer eerder gebeurd dat Ben na twaalven thuis was gekomen zonder van tevoren iets tegen zijn vader te zeggen. Beide keren was hij op hem blijven wachten, zittend in een stoel, maar niet in staat naar de radio te luisteren of te lezen. Pas toen hij zijn zoon de trap op hoorde komen, had hij vlug een tijdschrift opgepakt.

'Ik ben laat. Sorry hoor.'

Hij zei het op een luchtige toon, om het minder belangrijk te doen lijken. Had hij verwijten verwacht, of een scène?

Dave had het gelaten bij: 'Ik was ongerust.'

'Wat had er kunnen gebeuren? Ik was meegereden met Chris Gillispie en we kregen pech.'

'Waarom heb je niet even opgebeld?'

'Er was geen enkel huis in de verre omtrek en we moesten het dus zelf zien te repareren.'

Die eerste keer was begin winter. De tweede keer tussen kerst en nieuwjaar. Ben was luidruchtiger dan anders de trap opgelopen en eenmaal in de kamer had hij zijn gezicht afgewend en ontliep hij zijn vader.

'... Ssssorry... Bij een vriend geweest.... Waarom niet naar je bed gegaan?... Waar ben je bang voor?'

Dat was zijn stem niet. Voor het eerst was er iets in hem veranderd, hij klonk bijna agressief. Zijn houding en gebaren waren voor Galloway als die van een vreemde. Toch had hij gedaan of hij niets had gemerkt. Zondagmorgen was Ben lang in bed gebleven. Hij had onrustig geslapen. Toen hij te voorschijn kwam zag hij er grauw uit.

Zijn vader had hem eerst rustig laten ontbijten, waarbij hij zijn uiterste best deed de indruk te wekken dat hij zich nergens druk om maakte. Pas aan het eind had hij zacht gezegd: 'Je hebt gedronken, hè?'

Dat was nooit eerder gebeurd. Dave kende zijn zoon goed genoeg om zeker te weten dat hij tot dan toe nog nooit een glas alcohol had aangeraakt.

'Ga nou geen verwijten zitten maken, *dad*.'

En na een korte stilte voegde hij er toonloos aan toe: 'Wees maar niet bang dat het me nog eens gebeurt. Ik wilde niet achterblijven bij de rest. Ik haat dat soort dingen.'

'Echt waar?'

Ben had zijn vader aangekeken en geglimlacht: 'Echt waar.'

Sindsdien, dus vanaf eind december, was hij niet één

keer na elven thuisgekomen. Als Galloway thuiskwam zat zijn zoon meestal voor de tv en keek naar boksen. Het programma waar Galloway onderweg een paar flarden van had opgevangen in het zijstraatje. Soms bleven ze naast elkaar op de bank het programma uitkijken.

'Heb je nog trek?'

Hij ging dan in de keuken een paar boterhammen smeren en nam ook nog twee glazen koude melk mee.

Dave deed het raam open om Ben eerder te horen aankomen en ging op dezelfde plek zitten wachten als beide vorige keren. Er kwam een hoop kou binnen, maar hij kon er niet toe komen om het raam dicht te doen. Even kwam de gedachte bij hem op om zijn jas aan te doen, maar hij bedacht dat Ben ervan zou schrikken als die hem zo in zijn stoel aantrof.

De eerste keer was hij om middernacht thuisgekomen, de tweede keer rond één uur 's nachts.

Hij stak een sigaret op, toen nog een en nog een, nam nerveuze halen zonder er erg in te hebben. Op een gegeven ogenblik ging hij de tv weer aanzetten, maar er werd niets meer vertoond. Alle programma's die in Everton ontvangen konden worden waren al afgelopen.

Ondanks de spanning die hij voelde, bleef hij zitten. Zijn ogen gericht op de deur. Hij had het koud. Zijn hoofd was leeg. Ruim drie kwartier later kwam hij overeind, ogenschijnlijk rustig, en liep nogmaals naar de kamer van zijn zoon.

Het kwam niet bij hem op om het licht aan te doen. De weerschijn van het licht uit de andere kamer gaf een spookachtig effect. Vooral dat dofbleke bed riep tragische beelden op.

Het leek wel of Galloway wist wat hij kwam zoeken, wat hij zou vinden. Midden in de kamer lagen een paar vieze schoenen op het kleed. Een overhemd was over de leuning van een stoel gegooid.

Ergens in de loop van de avond was Ben thuis geweest om zich om te kleden. Zijn gewone kleren lagen in een hoek van de kamer op de grond, zijn sokken vlak ernaast.

Langzaam trok Dave de klerenkast open en het viel hem meteen op dat de koffer die altijd op de grond in de hangkast stond er niet was. Twee jaar geleden had Galloway die gekocht voor zijn zoon toen ze samen een reis hadden gemaakt naar Cape Cod. En sindsdien was die niet meer gebruikt.

Hij wist zeker dat hij er 's morgens nog had gestaan, want hij maakte zelf iedere dag alles aan kant in zijn huis. De werkster kwam maar twee keer per week een paar uur voor het grove werk, op dinsdag en vrijdag.

Ben was thuisgekomen om zijn nette kleren aan te trekken en was weggegaan met zijn koffer. Hij had geen enkel bericht achtergelaten.

Merkwaardig genoeg was er in de ogen van Galloway geen spoortje verbazing te bespeuren, alsof hij al heel lang, eigenlijk altijd al, een ramp had verwacht.

Alleen misschien niet precies deze ellende. Met nog langzamere bewegingen dan gewoonlijk, als om de narigheid voor zich uit te schuiven, duwde hij de deur van hun gezamenlijke badkamer open en deed het licht aan. Er lag nog maar één scheerapparaat op het glasplaatje. Het elektrische apparaat dat hij Ben afgelopen kerst had gegeven lag er niet meer, zijn kam ook niet en de tandenborstel hing er ook niet meer. Hij had zelfs de tube tandpasta meegenomen.

Doordat het badkamerraampje altijd openstond, tochtte het nu in de woning. De gordijnen waaiden op en de pagina's van een oude krant die op de tv lag ritselden.

Hij liep terug de kamer in om het raam dicht te doen en bleef even naar buiten staan kijken, met zijn voorhoofd tegen de koude ruit gedrukt.

Hij voelde zich even afgemat als na een urenlange wandeling en had geen kracht meer in zijn benen. Het enige dat hij wilde was plat op zijn buik op bed gaan liggen en praten in zijn eentje, praten met Ben, zijn gezicht weggestopt in zijn kussen. Maar wat had dat voor zin?

Hij moest eerst nog iets uitvissen en dat kon hij beter maar meteen doen. Hij haastte zich niet. Er was geen enkele reden om haast te maken. Hij nam rustig de tijd om zijn jas aan te trekken en een pet op te zetten, want hij had het ijskoud.

De maan was opgekomen, glanzend, bijna vol, en de lucht leek een bodemloze zee. Aan deze kant van de straat waren er op de hele benedenverdieping allemaal garages. Hij liep langzaam naar zijn eigen garage, pakte de sleutels uit zijn zak en stak de sleutel in het slot.

Nog voor hij de sleutel omdraaide bewoog de deur. Een houtsplinter bewees dat de garagedeur was geforceerd met een schroevendraaier en een ander stuk gereedschap.

Wat had het nog voor zin om zich er van te vergewissen dat de garage leeg was? Dat was inderdaad het geval, de auto was weg. Hij wist het al van tevoren. Hij had dat meteen begrepen, daarnet, boven. Onnodig om daarvoor het licht aan te doen.

Toch sloot hij de deur met evenveel zorg af als anders. Wat deed hij eigenlijk hier, helemaal alleen, op dit pleintje, achter het huis waarvan nog maar één raam, het zijne, verlicht was?

Er was geen enkele reden om buiten te blijven. Hij had er niets te zoeken.

Maar wat had hij voortaan thuis te zoeken?

Toch liep hij langzaam terug naar boven, alsof hij na iedere stap even stilstond om na te denken. Hij sloot zijn deur af, trok zijn jas uit, zette zijn pet af, hing alles aan de kapstok en ging weer zitten.

Hij zat in elkaar gedoken in zijn stoel en keek naar de leegte om zich heen.

Hoofdstuk 2

Soms kan het gebeuren dat iemand die droomt zich plotseling naar de grens gebracht voelt van een landschap dat hem tegelijkertijd vreemd en toch vertrouwd voorkomt, beangstigend als een afgrond. Niets ervan lijkt op het gewone leven en toch is er een vage herinnering, het bijna zekere weten daar al eerder geweest te zijn, misschien in een vorige droom of in een vorig leven.

Ook Dave Galloway had wat hij nu meemaakte al eerder beleefd, in lichaam en geest dezelfde totale ontreddering gevoeld en dezelfde leegte om zich heen; de eerste keer was hij ook neergeploft in deze groene leunstoel die naast de bijpassende bank stond, ooit bij een winkel in Hartford op krediet aangeschaft door zijn vrouw en hemzelf, met daarbij twee lage tafeltjes, twee eetkamerstoelen en het kleine tafeltje voor de radio, want televisie bestond toen nog niet.

De kamer was indertijd kleiner, het huis was nieuw, net als alle andere huizen van het blok. Ze waren de eerste bewoners van het huis en de jonge boompjes aan weerszijden van de straat waren nog maar net geplant.

Dat was in Waterbury, in Connecticut. Hij werkte toen in een fabriek waar horloges en fijne instrumenten werden gemaakt. Hij herinnerde zich ieder detail van die bewuste avond, later zou hij zich de avond die hij bij Musak had doorgebracht ongetwijfeld net zo scherp herinneren. Hij was naar een vriend, die op een andere afdeling werkte, geweest om een staartklok uit overgrootvaders tijd te repareren.

De klok, die van Duitse makelij was, had een fijn gegraveerde tinnen wijzerplaat en het raderwerk was handgemaakt. Dave, in hemdsmouwen, was op een stoel geklommen, zijn hoofd raakte bijna het plafond, en hij zag zichzelf weer staan draaien aan de wijzers om het slaan van de klok te regelen, op de hele en de halve uren en de kwartieren daartussen. De ramen stonden open. Het was toen ook lente, alleen iets eerder in het seizoen. Op tafel stond een grote kom aardbeien naast de whisky en een paar glazen. De vrouw van zijn vriend heette Patricia. Ze was donker, van Italiaanse afkomst, en ze had een mooie egale huid. Om hen gezelschap te houden had ze haar strijkplank in de woonkamer gezet en al die tijd had ze luiers staan strijken; alleen toen een van de kinderen even wakker was geworden was ze erheen gegaan om het kind weer in te stoppen en in slaap te laten vallen. Ze had al drie kinderen, van vier, tweeënhalf en één jaar, en ze was weer in verwachting. Ze straalde kalmte en vruchtbaarheid uit.

'Op je gezondheid!'

'En op die van jou!'

Hij had ook toen twee glazen whisky gedronken. Zijn vriend wilde zichzelf nog een derde keer inschenken, maar Patricia had hem vriendelijk tot de orde geroepen: 'Ben je niet bang dat je morgenochtend hoofdpijn krijgt?'

Het had hen ontroerd de klok, die niet had gelopen sinds zij hem hadden geërfd, weer te horen slaan. Galloway voelde zich ook gelukkig, omdat hij die avond bij hen had doorgebracht en met zo'n prachtig stuk mechaniek was bezig geweest. Hij herinnerde zich dat ze hadden geprobeerd te berekenen wat zo'n klok tegenwoordig zou moeten kosten.

'Nog een laatste glas?'

Dezelfde woorden als Musak.

'Nee, dank je.'

Hij was naar huis gelopen. Dat was daar maar twee straten vandaan. De maan scheen. Toen hij de hoek omsloeg zag Galloway dat er bij hem thuis geen licht brandde. Ruth had zeker niet op hem gewacht en was al naar bed gegaan. Dat was raar want zij had nooit zin om bijtijds naar bed te gaan en bedacht allerlei uitvluchten om zo lang mogelijk op te blijven. Hij had misschien niet zo lang moeten wegblijven?

Hij versnelde zijn pas. Het geluid van zijn zolen op de betonnen straat vergezelde zijn stappen. Op twintig meter van zijn huis zocht hij de sleutel al in zijn zak. En toen de deur open was had hij onmiddellijk dezelfde leegte gevoeld als toen hij vanavond binnenkwam in zijn woning. Hij had zelfs het licht niet eens aangedaan. De maan scheen helder genoeg binnen door de ramen die geen luiken hadden. Hij was meteen naar de slaapkamer gelopen. Op zijn lippen één naam: 'Ruth!'

Het bed was niet beslapen. Er was niemand. Op het kleed slingerde een paar oude schoenen. Toen had hij de andere deur geopend en was onbeweeglijk blijven staan, plotseling trillend van de schrik. Ruth had de baby niet meegenomen! Ben lag gewoon in zijn wiegje, lekker warm en rustig, lekker ruikend naar vers brood.

'Vind je niet dat hij naar warm brood ruikt?' had hij een keer tegen zijn vrouw gezegd.

Hij wist zeker dat ze er niets vervelends mee wilde zeggen, dat was nu eenmaal haar manier van denken, toen ze eenvoudigweg antwoordde: 'Je ruikt een plaslucht, dat is bij alle baby's zo.'

Hij had hem niet uit zijn wiegje gehaald om hem in zijn armen te nemen, hoewel hij dat eigenlijk het liefste wilde doen. Hij was alleen maar een hele tijd voorovergebogen blijven staan luisteren naar zijn ademhaling. Op het puntje van zijn tenen was hij daarna teruggeslopen naar hun eigen slaapkamer waar hij het lichtknopje aandeed. Ze had de kast niet dichtgedaan en een la van de toilettafel was helemaal opengetrokken. Achterin lagen twee zwarte haarspeldjes. De lucht van haar doordringende, goedkope parfum hing nog in de kamer. Ze had vast nog wat opgedaan vlak voor ze vertrok.

Ze had al haar spullen meegenomen, behalve een gebloemde katoenen huisjurk en twee kapotte slipjes.

Hij had niet gehuild of zijn vuisten gebald. Hij was gaan zitten in zijn leunstoel in de woonkamer, naast de radio. Pas veel later was hij naar de keuken gegaan om te kijken of ze geen briefje op tafel had gelegd. Er lag niets. Toch had hij zich niet helemaal vergist. In de vuilnisbak naast de gootsteen vond hij snippers papier, hij paste ze geduldig aan elkaar als de stukken van een legpuzzel.

Ze was dus wel van plan geweest om een boodschap voor hem achter te laten, maar het was haar niet gelukt om die op te schrijven. Ze was verschillende keren begonnen, in haar onregelmatige handschrift, vol spelfouten.

Mijn lieve Dave

Ze had *lieve* doorgestreept en vervangen door *arme* en verder stond er op dat blaadje alleen maar het begin van een zin:

Wanneer je dit briefje leest...

Ze had het verscheurd. Ze had de blocnote gebruikt die in de keuken hing en waarop altijd de boodschappen werden geschreven voor de kruidenier die elke morgen langskwam. Ze was vast aan dezelfde tafel gaan zitten waar ze elke dag haar groenten schoonmaakte.

Mijn lieve Dave,
Ik weet dat ik je verdriet ga doen, maar ik houd het niet langer meer uit en het is beter dat het nu gebeurt dan later. Ik heb er vaak met je over willen praten, maar...

Aangezien ze waarschijnlijk niet precies kon uitdrukken wat ze dacht had ze dat briefje ook weer verscheurd. Boven het derde briefje stond niets:

Al heel snel kwam ik erachter dat we niet bij elkaar passen. Dat het een vergissing was. Ik laat het kleintje bij jou. Veel succes.

Veel succes was doorgestreept en vervangen door *Veel geluk voor jullie beiden.*

Op het allerlaatste moment had ze zich toch nog bedacht, want ze had ook dit briefje verscheurd en in de vuilnisbak gegooid. Ze was kennelijk liever weggegaan zonder iets te zeggen. Wat had dat ook voor zin? Wat hadden haar woorden kunnen toevoegen? Was het niet beter dat hij ervan kon denken wat hij zelf wilde?

Hij was weer in zijn stoel gaan zitten, ervan overtuigd dat hij die nacht niet zou kunnen slapen, maar hij was om zes uur wakker geworden door geluidjes van Ben. De zon scheen al volop binnen. 's Morgens en 's avonds gaf hij Ben altijd de fles. Sinds een paar weken kreeg hij ook pap en de laatste paar dagen was daar groentepuree bijgekomen. Hij kon ook een schone luier geven. Dat had hij meteen willen leren toen Ruth en hun kind uit het ziekenhuis thuiskwamen.

Dat was nu vijftien en een half jaar geleden en hij had Ruth nooit meer gezien; de enige keer dat hij indirect iets van haar had gehoord was drie jaar later. Hij had bezoek gekregen van een advocaat die hem papieren had laten ondertekenen zodat zijn vrouw kon scheiden.

Hij sliep niet. Hij hield zijn ogen wijd open, strak op de bank gericht. De bank die hij met de rest van de spullen had meegenomen toen hij was weggegaan uit Waterbury.

Helemaal alleen had hij Ben opgevoed. Alleen tijdens zijn werktijden vertrouwde hij hem toe aan een buurvrouw met vier kinderen, anders niet. Al zijn vrije tijd, al zijn nachten had hij doorgebracht bij zijn zoon en hij was nooit meer uitgegaan. Nog niet naar een bioscoop.

Door de oorlog kon hij niet weg uit het huis in Waterbury toen hij dat eigenlijk wilde, want hij moest vanwege de mobilisatie in zijn fabriek blijven, die werkte voor Defensie. Pas later had hij een plek gezocht waar hij voor zichzelf kon werken, zodat hij niet meer van huis hoefde. Voor Ben had hij expres een dorpje uitgezocht waar het rustig was.

Plotseling laaide de hoop in hem op. Er klonken stappen achter het gebouw waar op dat tijdstip, normaal gesproken, niemand liep. Heel even dacht hij dat zijn zoon thuiskwam. Hij vergat dat Ben met de auto weg was, dus eerst zouden er geluiden van een motor moeten zijn, van afremmen, het slaan van een portier.

De stappen kwamen dichterbij. Niet de stappen van één persoon. Maar van twee mensen. Het klonk vreemd ongelijk. Onder aan de trap zette iemand zijn voet op de eerste tree en tegelijkertijd hoorde hij de fluisterstem van een vrouw. Een aarzelende zware stap op de tweede tree, vervolgens op de derde. Hij liep naar de deur, deed het licht aan en vroeg: 'Wat is er aan de hand?'

Hij snapte het niet meteen, bleef verdwaasd boven aan de trap staan kijken naar de natte snor en verfomfaaide hoed van Bill Hawkins die hem, ladderzat, vanaf beneden wezenloos aanstaarde.

Isabelle Hawkins, die geen jas of hoed droeg maar gewoon in haar huisjurk was, alsof ze overhaast haar huis was uitgelopen, probeerde met veel moeite langs haar man te komen.

'Let maar niet op hem, meneer Galloway. Hij heeft weer eens te diep in het glaasje gekeken.'

Hij kende de familie, zoals hij alle inwoners van Everton kende. Hawkins werkte op een boerderij ergens in de omgeving en was gemiddeld drie avonden per week zo dronken dat hij soms van de weg moest worden geplukt om ervoor te zorgen dat hij niet onder een auto kwam. Iedereen kon hem dan waggelend voorbij zien komen, onduidelijk brommend vanonder zijn rossige, hier en daar enigszins vuilwitte snor.

Ze woonden ietwat buiten het dorp, bij de spoorbaan; hadden acht of negen kinderen; de oudste twee waren getrouwd en woonden in Poughkeepsie, ten minste één dochter zat op de middelbare school, maar vooral de wilde tweeling van een jaar of twaalf, met hun ruige, rossige haardos, was berucht in het hele dorp.

Het lukte Hawkins niet de trap verder op te komen; hij stond te zwaaien op zijn benen en hield krampachtig met beide handen de leuning vast. Hij probeerde te praten, maar kon niet uit zijn woorden komen. Ongetwijfeld had zijn vrouw hem al de hele weg proberen te bewegen om terug te gaan naar huis. Ze had waarschijnlijk tegen hem gezegd: 'Blijf jij maar hier, als je dat per se wilt. Ik ga er wel even naar toe...'

Ondanks haar drukke gezin vond ze nog tijd om uit werken te gaan en sinds een paar maanden werkte ze in de Old Barn.

'Neemt u me niet kwalijk dat ik u op dit tijdstip lastig val, meneer Galloway. Laat mij er nou langs, Bill. Ga nou een beetje meer naar de muur.'

Haar man viel en stond moeizaam weer op terwijl Galloway bewegingloos boven aan de trap stond. De hele scène had iets grotesks en onwerkelijks in het schaarse licht van dat ene gele peertje.

'Uw zoon is zeker niet thuisgekomen?'

Hij snapte er niets van. Kon absoluut geen verband leggen tussen deze twee mensen hier en het vertrek van Ben.

'Wacht even tot ik er langs kan, dan hoef ik niet te schreeuwen. Er zijn waarschijnlijk mensen in huis die liggen te slapen.'

Die waren er inderdaad. De meeste winkeliers die hun zaak beneden hadden woonden ergens anders. Maar vlak naast Galloway woonde een oude Poolse vrouw, die voor haar ogen binnen een paar minuten tijd haar man, haar drie kinderen, haar schoonzoon en haar kleindochtertje van een paar maanden oud had zien afslachten. Ze begreep nog altijd niet waarom ze haar hadden gespaard, ze sprak nauwelijks Engels en kwam rond van eenvoudige naaiklusjes, verstelwerk, want een jurk maken kon ze niet. Haar haren waren spierwit, maar ze had nog nauwelijks rimpels in haar gezicht. Oplettend keek ze de mensen aan als die tegen haar spraken en aangezien ze maar een enkel woord begreep, glimlachte ze vriendelijk als om zich te verontschuldigen. Aan het eind van de gang woonde nog een echtpaar. Hun getrouwde kinderen woonden in New York. De man werkte als monteur in de garage aan de overkant. Waren ze wakker geworden door de Hawkins?

Bill Hawkins deed nog steeds verwoede pogingen zijn verontwaardiging te uiten, maar kwam niet verder dan wat gegrom. Zijn vrouw was inmiddels boven aan de trap gekomen.

'Ik ben zo naar buiten gelopen om hem achterna te gaan, want ik wilde niet dat hij alleen naar u toeging. Weet u iets?'

Hij durfde haar niet binnen te laten vanwege haar dronken echtgenoot die nog steeds halverwege de trap was. Dus bleven ze op de overloop staan, voor de halfopen deur.

Isabelle Hawkins zag wel dat hij het niet begreep. Ze was niet boos.

'Waarvan zou ik iets weten?'

'Over Ben en mijn dochter. Ze zijn er samen vandoor.'

Er stonden tranen in haar ogen, maar ze huilde meer uit automatisme en niet omdat ze ten prooi was aan hevig verdriet, zoveel was wel duidelijk.

'Ik wist wel dat hij haar regelmatig opzocht en iedere avond in de buurt van ons huis rondhing. Meer dan eens heb ik ze betrapt. Dan hingen ze in het donker om elkaars nek. Ik besteedde er verder geen aandacht aan, dacht niet dat het serieus was. Wist u er dan niets van?'

'Nee.'

Ze keek hem aan: 'O!'

Daarna hield ze even haar mond, alsof ze van haar stuk was gebracht.

'Heeft hij u niet verteld dat hij wegging?'

'Hij heeft mij helemaal niets verteld.'

'Wanneer hebt u het dan gemerkt?'

'Daarnet, toen ik thuiskwam.'

Hij vond het pijnlijk om tegenover deze vrouw die hij amper kende verantwoording over Ben af te leggen.

'Hij was met de auto,' zei ze, alsof zij dat kon weten.

'Ja.'

'Ik heb motorgeluiden in de buurt van ons huis gehoord.'

'Hoe laat?'

'Een uur of tien. Ik heb niet op de klok gekeken.'

'Dacht u meteen dat hij het was?'

'Nee. Ik heb alleen een auto horen wegrijden. Ik zat in de voorkamer de hemdjes van de kinderen te verstellen. De auto reed over de weg achter ons huis.'

'Was uw dochter dan buiten?'

'Dat zou best kunnen. Bij ons weet je dat nooit, iedereen loopt in en uit zonder dat er verder op gelet wordt.'

Haar man beneden maakte een brede armzwaai alsof hij haar opdroeg om haar mond te houden, schreeuwde vervolgens iets in de trant van: 'Die rotzak!'

'Stil nou even, Bill. Meneer Galloway kan er ook niets aan doen en ik ben ervan overtuigd dat hij net zo ongerust is als wij. Nietwaar, meneer Galloway?'

Met tegenzin zei hij ja en vroeg op zijn beurt: 'Weet u zeker dat uw dochter bij hem is?'

'Met wie zou ze anders zijn meegegaan? Ze gaan al twee maanden met elkaar om en zij gaat niet met andere jongens uit. Ze ziet haar vriendinnen nog maar amper. Voor ze met hem ging, had ze nog nooit een vriendje gehad. Ik werd daar haast ongerust over, omdat ze heel anders is dan andere meisjes van haar leeftijd.

'Wanneer wist u zeker dat ze weggegaan was?'

'Het was al over halftwaalf toen Steve, die zeventien is, thuiskwam uit de bioscoop. Ik vroeg hem of zijn zus niet met hem mee was gekomen. Hij zei toen dat hij haar niet had gezien. Eerst dacht ik nog dat uw zoon haar had thuisgebracht en dat ze nog ergens in het donker waren weggekropen. Ik heb de deur opengedaan en geroepen: "Lillian! Lillian!"

Verder niet, want ik was bang om de kleintjes wakker te maken. Toen ik weer binnen was zei Steve: "Ze zit niet op haar kamer." Hij was gaan kijken.

"Weet je zeker dat ze niet in de bioscoop was?"

"Absoluut zeker."

"Heb je Ben ook niet gezien?" Hij is bevriend met Ben. Zo is het ook begonnen tussen hem en Lillian. De jongens gingen altijd samen uit en Ben at hier vaak een boterham mee. Ik zag Steve nadenken. Hij is de meest serieuze van het stel en haalt de beste cijfers op school. "Is Ben vanavond gekomen?" vroeg hij me toen.

"Ik heb hem niet gezien."

Toen rende hij voor de tweede keer naar de kamer van zijn zusje. Ik hoorde dat hij de lades opentrok. Hij kwam terug met de mededeling: "Ze is vertrokken."'

Haar stem klonk niet overdreven dramatisch. Wat ze

zei was even eentonig als een klaagzang. Af en toe fronste ze haar voorhoofd omdat ze alles wilde vertellen zonder iets te vergeten en ondertussen lette ze op haar man die uiteindelijk maar was gaan zitten op de trap en nu met zijn rug naar haar toe zat. Hij mompelde nog steeds in zichzelf en schudde heftig met zijn hoofd.

'Ik ben ook gaan kijken en zag dat Lillian haar beste spullen had meegenomen. Toen ik weer in de keuken was, waar haar vader in zijn leunstoel zat te slapen, heb ik Steve verteld over de auto die ik had gehoord en Steve zei: "Ik begrijp het niet." Ik heb hem gevraagd wat hij niet begreep omdat Ben al maanden met zijn zus ging.

"Omdat hij geen geld heeft," was zijn antwoord.

"Hoe weet je dat?"

"Gisteren gingen een stel jongens ijs eten bij Mack en Ben wilde toen niet met ze mee. Hij had geen geld, zei hij."

"Maar dat was misschien niet zo."

"Ik weet zeker dat het wel zo is." Die jongens kennen elkaar onderling beter dan wij ze kennen, hè?'

Galloway vroeg: 'Wilt u niet even binnenkomen?'

'Ik laat hem liever niet alleen. Hij zal echt geen vlieg kwaad doen. Ik weet alleen niet wanneer hij precies wakker is en wat hij dus heeft gehoord. Dat gaat iedere zaterdag zo. Toen kwam ik ineens op het idee om te gaan kijken in het kistje waarin wij het weekgeld stoppen. Om halfzeven had ik er de achtendertig dollar ingedaan die mijn man had verdiend.'

Zonder zijn stem te verheffen vroeg Galloway: 'En dat geld zat er niet meer in?'

'Nee. Ze heeft waarschijnlijk gewacht tot ik even de keuken uit was of dat ik met mijn rug naar haar stond.

Dat is niet bedoeld als verwijt, hoor. En ik wil ook niet uw zoon beschuldigen. Ze hebben er allebei geen idee van waar ze mee bezig zijn.'

'Wat heeft uw zoon nog gezegd?

'Niets. Hij heeft wat gegeten en is naar bed gegaan.'

'Kan hij het niet zo goed vinden met z'n zusje?'

'Ik weet niet... ze hebben nooit erg goed met elkaar kunnen opschieten. Zonder iets te zeggen ging mijn man toen ineens naar buiten en ik kon hem niet tegenhouden. Dus ben ik er maar vlug achteraan gegaan. Wat gaat u nu doen?'

Wat zou hij kunnen doen?

'Denkt u dat ze gaan trouwen?' vroeg ze verder. 'Lillian is pas vijftien en een half. Iedereen schat haar ouder, niet dat ze zo flink is, maar het is zo'n ernstig meisje.'

Ze was wel eens in de winkel geweest, zoals alle meisjes uit de omgeving, om een kleinigheid te kopen, een armbandje, een kitscherig kettinkje, een ringetje of speldje. Volgens hem was ze niet rossig, zoals al die andere Hawkins, maar had ze bruinig haar. Hij deed z'n best om het te begrijpen, om haar te zien met de ogen van Ben. Ze was mager, liep een beetje voorovergebogen, was lichamelijk minder ver dan andere meisjes van haar leeftijd. Misschien zag hij haar in zijn herinnering zoals ze er een paar maanden geleden uitzag en was ze inmiddels erg veranderd? Volgens hem zag ze er een beetje stuurs uit, een beetje achterbaks zelfs.

'Ik heb ooit gelezen,' ging Isabelle Hawkins verder, 'dat ze in sommige staten in het zuiden vanaf hun twaalfde kunnen trouwen. Denk u dat ze daarnaar toe zijn en dat ze ons na afloop bericht sturen?'

Hij wist het niet. Hij wist helemaal niets. Die andere

nacht, vijftien en een half jaar eerder, was hij niet alles kwijtgeraakt. Hij had toen nog iets waar hij zich aan vast kon klampen, een baby in zijn wiegje die om zes uur 's morgens een flesje wilde.

Deze keer was hij zo ontredderd, dat hij zich bijna aan deze vrouw met haar uitgezakte lijf wilde vastklampen, terwijl hij haar amper kende.

'Heeft uw dochter u nooit verteld wat ze van plan was?'

'Nooit. En eigenlijk vraag ik me af of ze zich niet een beetje schaamde voor ons. Wij hebben het niet bepaald breed. Haar vader ziet er soms niet uit en ik snap heus wel dat zoiets niet zo prettig is voor een jong meisje...'

'Hoe gedroeg mijn zoon zich als hij bij u was?'

'Hij was altijd heel aardig, uiterst beleefd. Op een keer probeerde ik om een luik te repareren dat door de wind was stukgeslagen. Hij pakte toen de hamer uit mijn handen en heeft het prima gemaakt. Als hij melk bij ons dronk spoelde hij altijd keurig zijn glas om en zette het weer terug in de kast. Maar ja, het heeft totaal geen zin dat wij daar de hele nacht over zitten te praten. Het is tijd om Bill naar z'n bed te brengen en u moet trouwens ook naar bed. Ik vraag me alleen af of we de politie moeten waarschuwen.'

'U hebt het volste recht om dat te doen als u dat wilt.'

'Dat bedoel ik niet. Ik vraag me af of we dat verplicht zijn. Maar zoals de zaken er nu voorstaan, hoef je volgens mij van de politie ook niet veel te verwachten, denkt u ook niet?'

Hij gaf geen antwoord op deze vraag. Hij dacht aan de achtendertig dollar. En aan Ben die inderdaad meestal niet meer dan drie of vier dollar op zak had en die hem nooit om geld vroeg. Ben kreeg iedere week vijf dollar van hem en stopte die in zijn zak op een manier alsof hij zich geen houding wist te geven, terwijl hij ondertussen 'dank je wel' zei.

Dave dacht ook aan zijn bestelwagen waar je eigenlijk geen lange rit meer mee kon maken. Hij had hem al zes jaar en hij had hem tweedehands gekocht. Hij gebruikte hem alleen als hij bij iemand thuis iets moest repareren. Regelmatig vroegen mensen hem, zoals indertijd zijn vriend uit Waterbury, om een antieke klok te herstellen. Bovendien onderhield hij de klok van het gemeentehuis, en ook de klokken van de school, van de episcopale kerk en van de methodistenkerk. De achterkant van de wagen was ingericht als een soort werkplaats, met zijn gereedschap netjes aan de wand zoals in de wagens voor de reparatie van spoorlijnen.

Al maanden geleden hadden er eigenlijk nieuwe banden onder gemoeten. Bovendien werd de motor al na een paar kilometer behoorlijk heet en als Ben de radiator niet vaak genoeg bijvulde kwam hij binnen honderd kilometer met pech te staan.

Hij nam het zichzelf opeens kwalijk dat hij de uitgave voor een nieuwe auto steeds maar weer voor zich uitgeschoven had.

'Ik hoop maar dat ze onderweg niet worden aangehouden,' zuchtte Isabelle Hawkins.

En terwijl ze zich richting trap begaf, voegde ze er nog aan toe: 'Enfin, laten we hopen dat alles goed afloopt. Je kunt kinderen nu eenmaal niet dwingen en je hebt ze niet voor jezelf. Kom overeind, Hawkins!'

Ze was zo sterk dat ze hem bij zijn arm overeind trok en duwde hem toen zachtjes voor zich uit. Dit keer bood hij geen enkele weerstand. Ze keek nog even omhoog en zei tot besluit: 'Als ik iets van ze hoor zal ik het u laten weten. Maar het zou me verbazen als mijn dochter als eerste schreef!'

Hij hoorde haar buiten zachtjes verder praten: 'Kijk uit waar je loopt. Hou mij maar vast. Til je voeten een beetje op.'

De maan was verdwenen en ze hadden zeker nog een half uur, misschien wel een uur nodig om weer thuis te komen als ze zo doorgingen en iedere tien meter stilstonden op de donkere weg.

Ben was ook ergens op die weg, met Lillian ongetwijfeld tegen hem aangekropen en zijn ogen strak gericht op de lichtbundel voor zich. De koplampen waren niet al te best meer, vooral de linker, die er af en toe spontaan mee ophield en het dan even later ineens weer deed. Je had dat ook wel met sommige radio's, dat je er een klap op moest geven voor ze het weer deden. Zou Ben dat wel weten? En als de politie hem aanhield en naar zijn papieren vroeg – zoiets kan gebeuren 's nachts – , zouden ze zijn rijbewijs dan als geldig beschouwen?

Misschien hield hij zich wel expres met deze onbenulligheden bezig, om niet aan andere dingen te hoeven denken. Hij was nu weer alleen in zijn woning waar slechts in de huiskamer licht brandde. En net als vijftien en een half jaar eerder kwam het niet bij hem op naar bed te gaan of een sigaret op te steken. Hij bleef recht voor zich uit zitten kijken.

Dat rijbewijs was wettelijk niet geldig, althans niet in de staat New York, waar de leeftijdsgrens achttien jaar is. Vreemd eigenlijk dat Ben in maart, nu twee maanden geleden, naar een stadje in Connecticut vijftig kilometer verderop was gegaan om rijexamen te doen. Hij had dat niet aan zijn vader verteld, alleen gezegd dat hij een eind ging rijden met een vriend die een auto had. Pas een week later, toen ze een keer samen thuis waren, had hij zijn portefeuille te voorschijn gehaald en er een papiertje uitgevist.

'Wat is dat?' had Dave toen gevraagd.

'Kijk maar.'

'Een rijbewijs? Maar je weet dat je in de staat New York niet mag autorijden.'

'Dat weet ik.'

'Nou dan.'

'Nou niks. Ik heb het voor de lol gedaan.'

Hij was trots op dat gedrukte papiertje met zijn naam erop en dat hem, vond hij zelf, tot een man maakte.

'Wist je alle antwoorden dan?'

'Met gemak. Ik had de handleiding bestudeerd.'

'Waar heb je gezegd dat je woonde?'

'In Waterbury. Je hoeft dat niet aan te tonen. Ik had een auto met een nummerbord van Connecticut geleend van de oom van mijn vriend.'

Ben kon al ruim twee jaar autorijden en wist al veel langer hoe hij met een auto moest omgaan. Toen hij tien was kon hij hem al in en uit de garage rijden en later oefende hij vaak achter hun woning.

Dave had hem glimlachend zijn rijbewijs weer teruggegeven.

'Pas op dat je hem niet gaat gebruiken, hoor!'

Volgens Isabelle Hawkins had hij in die tijd al 's avonds afspraakjes met Lillian. Als vriend van Steve kwam hij ook wel bij haar thuis en at dan een boterham mee, pakte melk en waste zijn glas af alsof hij thuis was.

Het was niet gemakkelijk om zich Ben zo voor te stellen. Thuis voerde hij geen klap uit. Hij kon nog niet eens zijn bed fatsoenlijk opmaken of zijn schoenen poetsen. Ben die daar een stuk gereedschap ter hand nam en aanbood het luik van mevrouw Hawkins te repareren.

Dave besefte ineens dat hij jaloers was en dat die jaloezie er daarnet, toen die vrouw hem haar verhaal stond te vertellen, de oorzaak van was dat hij het bloed uit zijn gezicht voelde wegtrekken.

Hij was nooit bij de familie Hawkins binnen geweest. Hij kwam wel eens langs hun huis, een tamelijk groot vervallen houten krot, in jaren niet geschilderd, met rondom overal rotzooi en op en onder de veranda vechtende kinderen en jonge honden. Hij toeterde altijd daar, bang dat hij er eentje onder zijn wielen zou krijgen als ze onverwachts de weg op schoten.

De roodharige tweeling fietste altijd met losse handen over de stoep in het dorp, luide indianenkreten slakend.

Ben was dus al minstens twee, drie maanden elke dag bij die mensen over de vloer geweest en had zich intussen vast behoorlijk thuis gevoeld daar.

Als hij bij zijn vader was liet hij daar niets van merken. Kennelijk had hij geen seconde de behoefte gehad om hem iets toe te vertrouwen. Als klein kind was hij al erg gesloten. Dave herinnerde zich de dag dat hij hem voor de eerste keer naar de kleuterschool bracht; hij was toen net vier jaar maar hij had niet gehuild, alleen heel verwijtend zijn vader nagekeken toen die wegliep. Toen Dave hem kwam ophalen, had hij hem bezorgd gevraagd: 'Heb je fijn gespeeld?'

Met onverstoorbare kalmte en een ernstig gezicht had hij geantwoord: 'Ja.'

'Is je juf aardig?'
'Ik geloof van wel.'
'Je vriendjes ook?'
'Ja.'
'Wat hebben jullie gedaan?'
'Spelen.'
'En verder?'
'Niets.'

De maanden daarna had Dave iedere dag weer dergelijke vragen gesteld en hij kreeg steeds dezelfde soort antwoorden.

'Ga je graag naar school?'
'Ja.'
'Vind je dat leuker dan thuis?'
'Weet ik niet.'

Pas veel later had Dave ontdekt, doordat hij altijd maar vragen was blijven stellen, ook aan anderen, dat er in de klas van zijn zoon een jongen zat die beduidend groter en sterker was dan Ben en die hem behoorlijk pestte.

'Slaat hij je?'
'Soms.'
'Waarmee dan?'
'Met zijn vuisten of iets anders. Of hij duwt me omver, zodat ik in de modder val.'
'Verdedig jij je dan niet?'
'Als ik net zo groot ben geworden als hij, dan zal ik hem slaan.'
'Doet de juf dan niets?'
'Die ziet het niet.'

Hij had indertijd tamelijk korte beentjes en zijn hoofd leek te groot in vergelijking tot zijn lichaam. Zijn vader had meer dan eens gezien dat hij met een zacht stemmetje heel ernstig zat te mompelen als hij zich onbespied waande.

'Wat zeg je, Ben?'

'Niets.'

'Tegen wie praat je dan?'

'Tegen mezelf.'

'En wat zeg je dan tegen jezelf?'

'Verhaaltjes.'

Hij gaf verder niet aan welke. Dat hield hij voor zichzelf. Het had Dave lang beziggehouden wat hij moest antwoorden als zijn kind vragen zou stellen over zijn moeder. Het stond hem tegen, uit een soort bijgelovigheid, om te zeggen dat ze dood was. Maar hoe kon hij hem uitleggen dat zij was vertrokken en dat hij haar waarschijnlijk nooit meer zou zien?

Maar Ben had die vraag nooit gesteld. Hij was bijna zeven toen ze uit Waterbury weg konden. Had hij de waarheid van zijn schoolvriendjes gehoord, die hun ouders erover hadden horen praten?

Als dat zo was had hij er niets van laten merken. Het was ook geen somber, gesloten kind. Net als andere kinderen was hij bij tijd en wijle luidruchtig vrolijk.

'Ben je gelukkig, Ben?' vroeg zijn vader hem vaak op luchtige toon.

'Ja.'

'Zeker weten dat je gelukkig bent?'

'Ja.'

'Zou je niet willen ruilen met andere jongens?'

'Nee.'

Dat was zo zijn manier om iets meer te weten te komen. Toen ze eens samen buiten het dorp een eind aan het wandelen waren, Ben was dertien, had Dave zacht gezegd:

'Ben, je weet toch dat ik je vriend ben?'

'Dat weet ik.'

'Ik wil graag dat je me altijd als je vriend beschouwt, dat je niet bang bent om me alles te zeggen.'

Galloway durfde niet aan te dringen, want hij had de indruk dat de jongen zich ongemakkelijk voelde. Ben had zijn gevoelens nooit gemakkelijk geuit.

'Als je mij ooit bepaalde vragen wilt stellen, doe dat dan gerust. Ik beloof je dat je een eerlijk antwoord van me krijgt.'

'Wat voor vragen?'

'Dat weet ik niet zo. Soms kan iemand zich afvragen waarom de mensen dit of dat doen, waarom ze zus of zo leven.'

'Ik heb geen vragen.'

En hij was steentjes gaan gooien in een vijvertje verderop.

Om zeven uur 's morgens rinkelde de telefoon in de winkel. De vloer van de kamer trilde ervan. Dave was meteen klaarwakker, vroeg zich af of hij genoeg tijd had om naar beneden te gaan, om het blok heen te lopen en zijn juwelierszaak in te gaan voordat de telefoniste de moed zou opgegeven.

Dat was al eens eerder gebeurd. Ben wist dat en zou een paar minuten later opnieuw bellen.

Toen hij de hoek omsloeg, hoorde hij het gerinkel nog steeds, maar toen hij eindelijk de deur had opengedaan, was het geluid gestopt.

De zon glansde op dezelfde manier als de maan afgelopen nacht. De straten waren leeg. Op het grasveld voor de bioscoop trippelden wat vogeltjes. Helemaal verkleumd bleef hij staan wachten, zijn blik strak op de telefoon gericht, terwijl de frisse ochtendlucht binnenwaaide door de open deur.

Er reden een paar auto's voorbij. Mensen uit New York of uit een voorstad die de stad uit reden. Werktuiglijk greep hij naar zijn zak en zocht zijn sigaretten. Hij had ze zeker boven laten liggen. Er werd niet opnieuw gebeld. Hij had ook niet echt gedacht dat het Ben was die belde, al wist hij niet waarom. Een half uur ging voorbij. Toen nog een kwartier. Hij had trek in een sigaret en een kop koffie, maar hij durfde niet naar boven uit angst een nieuwe oproep te missen.

Ben wilde vaak 's avonds naar zijn vrienden bellen en had gevraagd om ook boven een toestel te laten plaatsen. Waarom had hij die uitgave altijd maar uitgesteld?

Hij was pas heel laat in slaap gevallen en had zwaar en onrustig geslapen, zodat hij zich nog vermoeider voelde dan de avond daarvoor.

Het had weinig gescheeld of hij had Musak gebeld. Om wat te zeggen eigenlijk? Hem vertellen wat er was gebeurd? Ze spraken nooit met elkaar over persoonlijke dingen. Dave had er nog nooit met iemand over gesproken.

Hij stond daar maar, tegen de toonbank geleund, met prikkende ogen. En zo stond hij nog steeds toen een auto in volle vaart door Main Street reed, de hoek omsloeg en plotseling stopte, recht tegenover de winkel.

Twee geüniformeerde mannen van de landelijke politie stapten uit. Ze zagen er allebei fris en uitgerust uit, met gladgeschoren gezichten. Ze keken omhoog naar de naam boven de etalage en een van de twee pakte een opschrijfboekje en keek erin.

Zonder verder af te wachten liep Galloway op hen af, want hij wist dat ze hem zochten.

Hoofdstuk 3

In de deuropening gekomen, knipperend met zijn ogen door de ochtendzon die recht in zijn gezicht scheen, deed hij zijn mond al halfopen om te vragen: 'Heeft mijn zoon een ongeluk gehad?'

Hij wist niet wat hem weerhield, of het intuïtie was of iets in de houding van beide mannen. Ze schenen verbaasd hem daar aan te treffen en wisselden enkele vragende blikken met elkaar. Waren ze verbaasd over zijn ongeschoren gezicht en zijn kleren die kreukelig waren door de lange uren in de leunstoel?

Er was een politiepost in Radley, bijna recht tegenover de middelbare school, en Galloway kende de zes mannen die daar werkten, in ieder geval van gezicht. Twee van hen parkeerden gewoonlijk hun auto bij hem voor de deur als hun horloge gerepareerd moest worden.

Deze twee waren niet uit Radley. Ze kwamen vast uit Poughkeepsie, of van nog verder weg.

Hij zou uiteindelijk toch zijn vraag hebben gesteld, al was het maar om zich een houding te geven, als de kleinste van de twee niet had gezegd: 'Heet u Dave Clifford Galloway?'

'Dat ben ik.'

Kijkend in zijn opschrijfboekje, vervolgde hij: 'Bent u de eigenaar van een Ford bestelwagen met kenteken 3 M-2437?'

Hij knikte van ja. Nu was hij op zijn hoede. Zijn instinct waarschuwde hem dat hij Ben moest beschermen. Langs zijn neus weg, alsof hij er niet veel belang aan hechtte, vroeg hij: 'Heeft hij een aanrijding gehad?'

Ze keken elkaar op een eigenaardige manier aan voordat een van beiden antwoordde: 'Nee. Geen aanrijding.'

Hij kon verder maar beter zijn mond houden. Hij gaf alleen nog antwoord op hun vragen. Omdat ze probeerden over zijn schouders heen de winkel in te kijken, deed hij een stap opzij om ze binnen te laten.

'Was u aan het werk, op zondagmorgen om acht uur?'

Dat was ongetwijfeld ironisch bedoeld, aangezien zijn etalage leeg was en de te repareren horloges niet aan de haakjes boven de werkbank hingen.

'Nee hoor, ik was niet aan het werk. Ik woon hierboven. Ongeveer een half uur geleden hoorde ik de telefoon door de vloer heen. Ik ben naar beneden gegaan. Ik moest alleen buitenom lopen en toen ik hier aankwam was er al opgehangen. Ik ben beneden gebleven omdat ik dacht dat er misschien opnieuw gebeld zou worden.'

'Dat waren wij.'

Afgaande op de verlegen blik in hun ogen zou Dave gezworen hebben dat zij iets heel anders verwacht hadden. Ze keken niet dreigend, het was eerder of ze zich geen houding wisten te geven.

'Hebt u afgelopen nacht uw auto gebruikt?'

'Nee.'

'Staat-ie in uw garage?'

'Nee, niet meer. Hij is gisteravond verdwenen.'

'Wanneer hebt u dat gemerkt?'

'Tussen halftwaalf en middernacht, toen ik thuiskwam van een vriend waar ik gisteravond was.'

'Kunt u me zijn naam geven?'

'Frank Musak. Hij woont in de eerste laan rechts voorbij het postkantoor.'

Die met het opschrijfboekje noteerde naam en adres.

Galloway bleef koelbloedig. Hij was niet bang hoewel hij zich toch niet meer helemaal een burger als ieder ander voelde, nu hij zo werd ondervraagd door agenten in uniform. Af en toe kwamen er mensen langs de winkel, vooral meisjes, kinderen in hun zondagse kleren, die richting de katholieke kerk gingen en een nieuwsgierige blik wierpen door de openstaande deur en op de twee politiemannen.

'Merkte u toen u thuiskwam dat uw auto niet meer in de garage stond?'

'Inderdaad.'

'Bent u de hele nacht niet meer weggegaan?'

'Nee.'

Hij loog niet, maar hij misleidde ze wel en was bang dat hij zou gaan blozen. Ze gaven elkaar nogmaals een teken en trokken zich terug in een hoek van de winkel waar ze fluisterend met elkaar spraken. Galloway was zonder erbij te denken achter zijn toonbank gaan staan alsof hij klanten ontving en hij deed geen moeite te luisteren naar wat ze zeiden.

'Mogen we even uw telefoon gebruiken? Uiteraard op onze kosten.'

De man belde de telefoniste.

'Hallo! Met de politie. Kunt u mij doorverbinden met het bureau van Hortonville? Ja... dank u wel.'

Het was prachtig weer. Alom begonnen kerkklokken te luiden en het grasveld aan de overkant, waarop de bomen lange blauwe schaduwen wierpen, was bezaaid met gele bloemetjes.

'Ben jij het, Fred? Met Dan. Kun je me de commissaris geven?'

Hij hoefde amper te wachten. Hij sprak gedempt, bijna fluisterend, met zijn hand voor de hoorn.

'We zijn er, commissaris. Hij is hier... Hallo!... Ja... We hebben hem in zijn winkel aangetroffen... Nee... zo te zien deed hij niets... Hij woont op de eerste verdieping en heeft de telefoon horen rinkelen. Moeilijk om u uit te leggen... De situatie is zo dat hij buitenom moet en het is een nogal lang blok... Ja... Ja... Naar het schijnt is de bestelwagen gisteren vóór halftwaalf 's nachts uit zijn garage verdwenen...'

Je kon de stem van de commissaris horen brommen, maar het was niet mogelijk te verstaan wat hij zei. De politieman, de telefoonhoorn in zijn hand, zag er nog steeds uit alsof hij behoorlijk van zijn stuk was gebracht.

'Ja... Ja... Natuurlijk. Wat merkwaardig is...'

Tijdens het hele telefoongesprek bleef hij nieuwsgierig naar Galloway kijken, zonder een spoortje antipathie.

'Dat is misschien beter, ja... Over ongeveer een uur... Iets meer...'

Hij hing op, stak een sigaret aan.

'De commissaris wil dat u met mij meekomt om te kijken of het inderdaad uw auto is.'

'Kan ik nog even naar boven om de deur af te sluiten?'

'Gaat uw gang.'

Dave sloot de winkeldeur af en ze volgden hem alle twee naar de andere kant van het gebouw. Een van de agenten zag meteen de verse kras op de garagedeur.

'Is dit uw garage?'

'Ja.'

Hij duwde de deur een stukje open om eventjes naar

binnen te gluren, waar niets anders te zien was dan een donkere olievlek op het beton, op de plek waar de bestelwagen had gestaan.

Dave liep de trap op en de kleinste van de twee volgde hem, alsof ze dat stilzwijgend overeengekomen waren.

'Ik veronderstel dat er geen tijd is om nog gauw een kop koffie te zetten?'

'We stoppen wel even bij een wegrestaurant, dat gaat sneller.'

De man keek om zich heen, nog steeds enigszins verbaasd, alsof hij aan het verkeerde adres was. Terwijl Dave een kam door zijn haar haalde en zijn gezicht depte met wat koud water, ging de ander in de twee slaapkamers kijken.

'Het is net of u niet naar bed bent geweest!'

Galloway dacht nog na over een antwoord, toen hij er haastig aan toevoegde: 'Trouwens, dat zijn mijn zaken ook niet. U hoeft me niets te vertellen.'

Even later, op dezelfde luchtige toon, eerder als opmerking dan als vraag: 'U bent niet getrouwd?'

Dave vroeg zich af of je dat aan de woning kon zien. Voor Ben had hij altijd geprobeerd om hun woning er niet uit te laten zien als een mannenhuishouding. Bij Musak bijvoorbeeld was hem dat altijd opgevallen. Geen twijfel mogelijk, alleen al de geur daar bewees dat er geen vrouw in dat huis woonde.

'Ik ben vroeger getrouwd geweest,' was alles wat hij antwoordde.

Hij gedroeg zich net als sommige zieken die zo bang zijn een aanval te krijgen dat ze nauwelijks meer durven bewegen en met een gedempte stem spreken.

Eigenlijk was hij niet verrast door de komst van de

twee agenten. Hij had evenmin serieus gedacht dat Ben een ongeluk had gehad. Trouwens, als dat het geval was, hadden ze het hem wel meteen gezegd. Vanaf het moment dat hij zijn lege woning binnenstapte, gisteravond, wist hij dat het iets veel ergers was en hij had zijn schouders ingetrokken, alsof hij zo kon ontsnappen aan de greep van het lot.

Wat er precies was gebeurd, was niet belangrijk, hij moest nu zijn zoon beschermen. Nog nooit had hij zich zo duidelijk, zo lichamelijk met hem verbonden gevoeld. Er was niet ergens, God weet waar, iemand in gevaar – nee, het ging om een deel van hemzelf.

Hij gedroeg zich altijd netjes, hield zich aan de wet, een beetje bangig wel, maar als iemand die zich niets heeft te verwijten.

'Is het erg dat ik nog niet geschoren ben?'

Hij was rossig, maar beduidend minder vuurrood dan de Hawkins. Zijn toch al fijne haren werden dun en de zon gaf zijn wangen een gouden gloed. Waarom ging hij in de keuken kijken of het elektrische fornuis niet aan was? Uit gewoonte! Hij deed de deur op slot en liep terug naar beneden, waar de andere agent was blijven staan en tegen wie diens collega een paar woorden zei.

'Komt u mee?'

Hij wilde achterin gaan zitten, maar ze gebaarden hem voorin plaats te nemen en tot zijn verbazing stapte alleen de kleinste van de twee mannen in, terwijl de ander op de stoep bleef staan en keek hoe ze vertrokken.

'Echt weer zo'n zaak voor de zondagochtend,' zei de collega op een toon alsof hij het had tegen iemand in de kroeg. 'Op zaterdagavond kunnen de mensen zich maar moeilijk inhouden!'

De hele rit lang was te merken dat het zondag was. In ieder dorpje stonden de deuren van de witte kerkjes open, vrouwen hadden witte handschoenen aan en ergens liep een rij meisjes, allemaal met een bosje bloemen in hun hand.

'U vergeet toch niet mijn kopje koffie,' waagde Dave met een gedwongen lachje.

'We gaan naar een geschikte gelegenheid net buiten Poughkeepsie.'

Ze reden zonder te stoppen de stad door en lieten de brug achter zich over de Hudson die lag te schitteren in de zon en waar net een boot met toeristen voorbijvoer.

De auto bereikte de eerste uitlopers van het Catskillgebergte en de weg werd bochtig, steeg en daalde, verdween in donker, koel bos, volgde de oever van een meer, passeerde een enkele boerderij en wat weides op een vlakker stuk. Voor een drive-in vol schreeuwerige frisdrankreclames vlak langs de weg stopte de politieman, waar hij twee koffie bestelde bij een meisje in een sportbroek.

'Zwart?'

'Voor mij zwart, met twee klontjes suiker.'

'Voor mij hetzelfde.'

Voor de meeste mensen was het een prachtige zondag. Verderop passeerden ze een golfbaan waar her en der groepjes mensen stonden, de clubtas over hun schouder. Bijna alle mannen hadden een witte pet op en veel vrouwen waren al in korte broek, met een zonnebril op.

Als hij afging op de paar zinnen van het telefoongesprek die hij had opgevangen, werd hij naar Hortonville gebracht. Hij was daar al eens eerder geweest. Een dorp op de grens van de staat New York en Pennsylvania. Hij meende zich vlak langs de weg een bakstenen politiebureau zonder verdiepingen te herinneren. Het was ongeveer honderd kilometer van Everton naar Hortonville, een afstand waar je iets meer dan een uur en een kwartier over deed.

Hij dwong zichzelf niet te praten, geen enkele vraag te stellen. Hij kreeg er klamme handen van, zweet parelde op zijn bovenlip.

'Rookt u niet?'

'Ik heb mijn sigaretten thuis laten liggen.'

De agent hield hem zijn pakje voor en wees naar de aansteker. Ze waren net door een nog in diepe rust verkerend stadje gereden, dat moest Liberty zijn. Daarna hadden ze in de verte een tamelijk groot meer gezien waarop talloze boten lagen te dobberen. Weer reden ze een bos in en plotseling liet Dave de chauffeur bijna stoppen, maakte een armgebaar, legde zijn hand op de arm van de ander.

Hij had gemeend in de berm van de weg zijn bruine bestelwagen te herkennen, met de rechterwielen in het gras, het silhouet van een agent vaag ernaast.

Zijn gebaar was niet aan de aandacht van de ander ontsnapt.

'Is dat die van u?' vroeg hij langs zijn neus weg.

'Ik geloof van wel...'

'We gaan eerst naar de commissaris, drie kilometer hiervandaan, daarna komen we ongetwijfeld hier weer terug.'

Het bureau was van lichtroze steen met een bloemperk aan weerszijden van de deur. Na het felle licht buiten leek het binnen donker en Galloway kreeg het bijna koud, misschien ook gedeeltelijk doordat hij zo gespannen was. Toen hij alleen in de gang achterbleef voelde hij zelfs een rilling over zijn rug lopen.

'Komt u maar binnen.'

De commissaris was jong, atletisch gebouwd. Dave was verrast dat hij hem krachtig de hand schudde.

'Sorry dat we u lastig hebben gevallen, meneer Galloway, maar het kon moeilijk anders.'

Wat had de commissaris verteld aan de agent die hem had meegenomen en met wie hij net tamelijk lang had zitten praten? De agent keek nu ook met een andere blik naar hem. Met meer sympathie, of zelfs een soort respect.

'U hebt uw bestelwagen onderweg gezien?'

'Ik dacht wel dat het hem was.'

'Het is misschien beter dat we daar eerst mee beginnen. Dat is in een paar minuten gebeurd.'

Hij pakte zijn gegalonneerde pet van de kapstok, zette die op en liep naar de auto terwijl hij de andere politieman gebaarde met hen mee te gaan.

'U schijnt gisteravond niet veel geluk te hebben gehad met triktrak?'

Ze hadden Musak dus ondervraagd, ze stelden hem daar op deze manier van op de hoogte. Daarmee gaven ze te kennen dat ze open kaart met hem speelden.

'U moet het ons maar niet kwalijk nemen, meneer Galloway, maar het is nu eenmaal ons vak om alles te controleren.'

De bestelwagen kwam in zicht en Dave keek meteen naar de banden. Hij zag geen lekke band. Zijn handpalmen werden nu echt klam en toen hij uitstapte wist hij even niet of hij wel kon lopen.

'Herkent u die oude kar?'

'Zeker.'

'Is dat uw klokkenmakersgereedschap achterin?'

'Ja.'

'Ik kon niet meteen thuisbrengen bij welk beroep het hoorde. Wilt u even binnenin kijken?'

Het portier werd opengemaakt en hij keek als vanzelf meteen naar de stoel waarop Ben had gezeten. Hij streek er heimelijk met zijn hand over, alsof hij op de bekleding nog iets van de warmte van zijn zoon zou kunnen voelen. Naast het koppelingspedaal lag een witte prop, een dameszakdoekje dat naar eau de cologne rook.

'Een van onze surveillancewagens heeft de auto hier rond twee uur vannacht aangetroffen. Hij moet er toen al een tijdje hebben gestaan, want de motor was al koud. De koplampen waren uit.'

Galloway kon niet nalaten te vragen: 'Doet de auto het nog?'

'Dat vonden mijn mannen nu juist zo vreemd. De motor doet het. Dus was er geen sprake van pech.'

Hij riep de man die de wacht hield bij de auto.'

'Kun je hem naar Poughkeepsie rijden?'

Dave wilde al protesteren, vragen waarom hij zijn wagen niet terugkreeg.

'Komt u mee, meneer Galloway?'

Hij reed zwijgend en sprak niet eerder dan toen ze terug waren op het bureau, waar de agent die naar Everton was gekomen zich bij hen voegde.

'Doe de deur maar dicht, Dan.'

De commissaris trok een ernstig gezicht, wist niet goed hoe te beginnen.

'Een sigaret?'

'Nee, dank u. Ik heb nog niet ontbeten en...'

'Dat weet ik. U hebt ook niet veel geslapen afgelopen nacht. U bent zelfs niet naar bed geweest.'

Deed Galloway wel al het mogelijke? Deed hij echt alles wat hij kon om Ben te beschermen? Hij was bang dat hij niet tegen de situatie was opgewassen. Het was niet zijn gewoonte anderen om de tuin te leiden.

Volgens hem kon de commissaris aan zijn gezicht zien wat hij dacht. Waarom was hij anders zo voorkomend tegen hem, een totaal onbelangrijke persoon, een onbeduidende dorpsklokkenmaker?

De ander besloot opeens te gaan zitten en streek een hand door zijn dikke, kortgeknipte haardos.

'Vanaf het moment dat u uit Everton bent vertrokken, meneer Galloway, hebben wij uit verschillende bronnen inlichtingen binnengekregen en het is mijn plicht u daarvan op de hoogte te stellen. Zo hebben we vernomen dat meneer en mevrouw Hawkins in de loop van de nacht bij u zijn geweest.'

Hij verroerde geen vin, knipperde niet met zijn ogen, maar het was of zijn hart stilstond, want nu zou Ben onvermijdelijk ter sprake komen.

'Een van de jongens Hawkins kwam vanmorgen op de fiets langs uw winkel en zag daar mannen in uniform. Hij is naar zijn moeder geracet om het haar te vertellen. Zij kwam meteen aanhollen omdat ze hoopte dat er nieuws was over haar dochter.'

De commissaris had zelf vast ook klamme handen, want hij haalde zijn zakdoek te voorschijn en verfrommelde die.

'Kent u uw zoon goed, meneer Galloway?'

Nu waren ze zo ver. Dave had gehoopt dat dit moment nooit zou komen. Hij had zijn uiterste best gedaan het te hopen, tegen alle waarschijnlijkheid en logica in. Zijn ogen werden branderig, zijn adamsappel wipte omhoog en omlaag. De commissaris wendde uit beleefdheid zijn hoofd af, alsof hij hem de gelegenheid wilde geven zijn gevoelens vrijuit te uiten.

Was het zijn eigen stem die zei: 'Ik geloof dat ik hem ken, ja'?

'Uw zoon is vannacht niet thuisgekomen. Het meisje Hawkins...'

Hij keek even in zijn aantekeningen: '...Lillian Hawkins heeft haar ouderlijke woning gisteren in de loop van de avond verlaten met medeneming van al haar spullen.'

Hij liet bijna een halve minuut voorbijgaan.

'Wist u dat ze samen weg waren gegaan met uw bestelwagen?'

Wat had het voor zin te ontkennen? Ze beschuldigden hem en niet Ben.

'Dat dacht ik inderdaad na het bezoek van de Hawkins.'

'Bent u niet op het idee gekomen om de politie te waarschuwen?'

Hij zei ronduit: 'Nee.'

'Was u dan helemaal niet ongerust over uw zoon?'

Zonder zijn ogen neer te slaan antwoordde hij vastberaden: 'Nee.'

Dat was niet helemaal waar, maar hij was op een andere manier ongerust dan waar de commissaris op doelde. Zelfs een gewone vader kon dat niet begrijpen.

'Heeft hij nooit problemen veroorzaakt?'

'Nee. Het is een rustige jongen, een goede leerling.'

'Ik heb inmiddels gehoord dat hij vorig jaar een van de drie beste leerlingen van zijn klas was.'

'Dat klopt.'

'Zijn cijfers van dit jaar zijn...'

Hij wilde gaan uitleggen dat kinderen erg kunnen veranderen in een jaar tijd, dat ze zich nu eens voor dit en dan weer voor dat interesseren, dat ze een heel proces doormaken. Maar hij kon niets meer zeggen toen hij het medelijden in de ogen van de commissaris zag. Alsof hij zich gewonnen gaf liet hij zijn kin op de borst zakken en stamelde zacht: 'Wat heeft hij gedaan?'

'Wilt u zelf het verslag lezen?'

Hij schoof meerdere grote vellen papier op zijn bureau naar voren. Dave schudde van nee. Hij was niet tot lezen in staat.

'Vanmorgen heeft een automobilist op een kilometer hiervandaan, de kant van Pennsylvania uit maar nog wel in de staat New York, een menselijke gedaante zien liggen in de berm van de weg. Het was halfzes en nog niet helemaal licht. Die man is eerst doorgereden, maar omdat hij wroeging kreeg, het kon tenslotte een gewonde zijn, is hij teruggegaan.'

De commissaris sprak langzaam, met een eentonige stem zoals men een verslag voorleest, maar hij wierp slechts af en toe een blik op de papieren die hij weer naar zich toe geschoven had.

'Een paar minuten later is die man hier komen waarschuwen dat hij zojuist een dode had ontdekt. Ik was net mijn dienst in Poughkeepsie begonnen toen ik gewaarschuwd werd. Ik ben vlak na de agenten van de politiepost ter plaatse gearriveerd.'

Hoorde Dave wat er gezegd werd? Hij zou zweren dat hij geen woorden hoorde maar beelden zag, alsof hij naar een kleurenfilm keek. Hij zou geen woord kunnen herhalen van wat er gezegd was en toch had hij de indruk dat hij alle genoemde personen in hun hele doen en laten gevolgd had.

En gedurende al die tijd had hij voor het raam in zijn groene leunstoel zitten slapen terwijl de zon opkwam en de vogeltjes begonnen rond te hippen op het gras.

'Uit de papieren die in de zakken van de dode zaten konden wij opmaken dat het om ene Charles Ralston ging, uit Long-Eddy, zo'n vijftien kilometer hiervandaan. Ik heb naar zijn huis gebeld waar zijn vrouw mij wist te vertellen dat haar man gisteravond was gaan eten bij hun getrouwde dochter, die in een buitenwijk van Poughkeepsie woont. Zelf voelt ze zich al weken niet erg lekker en daarom was ze thuisgebleven en vroeg naar bed gegaan. Toen ze 's nachts wakker werd en merkte dat haar man niet naast haar lag was ze niet ongerust geweest. Ze dacht dat hij bij hun dochter was blijven slapen, wat wel eens vaker gebeurde als hij een glaasje te veel op had. Charles Ralston was vertegenwoordiger in die regio voor een bekend koelkastenmerk. Hij was vierenvijftig jaar.'

Hij wachtte even, zei toen plompverloren: 'Hij is van dichtbij doodgeschoten door een kogel in zijn nek. Waarschijnlijk zat hij achter het stuur. Hij is daarna naar de berm gesleept, zoals de sporen uitwijzen. Zijn portefeuille is doorzocht; het geld dat erin zat is weg. Volgens zijn vrouw had hij twaalf tot veertien dollar op zak.'

Het was doodstil, zoals soms het geval is bij rechtszaken wanneer het vonnis wordt voorgelezen. Galloway bewoog als eerste, hij strekte zijn over elkaar geslagen benen die pijn deden.

'Kan ik doorgaan?'

Hij knikte. Ze konden maar beter het hele verhaal afmaken.

'De kogel van kaliber 38 kwam uit een automatisch pistool. Toen Ralston zijn dochter en schoonzoon verliet reed hij in een blauwe Oldsmobile Sedan met een nummerplaat van de staat New York.

Hij wierp een blik op zijn horloge.

'Nu drie uur geleden is het signalement van deze auto via de radio overal verspreid, met name in Pennsylvania, in welke richting hij schijnt te zijn gegaan. Even voordat u aankwam kreeg ik bericht van de politie in Gagleton dat de inzittenden van een auto die beantwoordde aan het signalement ergens midden op het platteland bij een benzinepomp zijn gestopt en de pomphouder wakker hebben gemaakt om hun tank vol te laten gooien.'

Daves tong brandde in zijn droge, speekselloze mond. Zijn adamsappel voelde als een brok in zijn keel, waardoor hij dacht dat hij stikte.

'De blauwe Oldsmobile werd bestuurd door een blanke jongeman van gemiddelde lengte, die een beige regenjas droeg. In de auto zat een nog heel jong meisje dat het raampje naar beneden draaide en om sigaretten vroeg. Om niet naar binnen te hoeven waar de automaat hangt heeft de pomphouder haar zijn aangebroken pakje gegeven. De jongeman heeft betaald met een tien-dollarbiljet waarvan we straks het nummer krijgen.'

Dat was het. Wat viel er nog te zeggen?

De commissaris wachtte zonder Galloway aan te kijken, stond ten slotte op en maakte een gebaar naar de agent om hem naar buiten te volgen. Dave bewoog niet, was zich niet bewust van de tijd die verstreek en twee keer betrapte hij zichzelf erop dat hij droomde dat hij een klein jongetje naar school bracht. Het waren slechts beelden die aan zijn ogen voorbijtrokken. Hij kon niet denken. De telefoon rinkelde maar hij sloeg er geen acht op. Als hij dat had gewild had hij kunnen verstaan wat er over de telefoon in het andere vertrek werd besproken.

Hij had niet gehuild. Het stond nu ook vast dat hij niet zou huilen, dat hij geen tranen meer had om nog te huilen.

Toen hij een hele tijd later zijn ogen opsloeg was hij verbaasd dat hij daar alleen zat. Hij voelde zich opgelaten en stond op het punt te roepen omdat hij niet uit zichzelf het vertrek durfde te verlaten.

Misschien hielden ze hem in de gaten, of hadden ze hem horen bewegen? De commissaris verscheen in ieder geval in de deuropening.

'Ik veronderstel dat u graag naar huis wilt?'

Hij knikte van ja, verbaasd dat ze hem niet vasthielden. Hij zou niet hebben geprotesteerd. Zo normaal had hem dat geleken.

'Ik moet u alleen vragen dit proces-verbaal te ondertekenen. U mag het lezen. Het is eenvoudigweg een verklaring dat u uw auto duidelijk herkend heeft.'

Was dat geen verraad jegens Ben?'

'Moet ik echt tekenen?'

De ander knipperde met zijn ogen en toen tekende hij maar.

'Onder ons kan ik u wel zeggen dat ze vannacht een behoorlijk eind hebben gereden en dat ze Pennsylvania al uit zijn. Het laatste punt waar ze gesignaleerd zijn is in het district Jefferson, in Virginia.'

Moest Ben, die al vanaf de vorige avond reed, niet eens stoppen om te slapen?

'Ze gaan niet over de snelweg maar rijden om over kleine en secundaire wegen, wat de opsporing bemoeilijkt.'

Galloway was overeind gekomen en de commissaris legde een hand op zijn schouder.

'Als ik u was – en ik spreek nu niet als politieman – dan zocht ik nu meteen een goede advocaat voor uw zoon. Hij heeft het recht – dat weet u – om alleen iets te zeggen als zijn advocaat erbij is en dat maakt soms net het verschil.

'Hij': daarmee werd Ben bedoeld! Hoe onwaarschijnlijk het ook leek, er werd over Ben gesproken als over een volwassene die verantwoordelijk is voor zijn daden. Hij stond op het punt daar tegen in te gaan, zo monsterlijk kwam het hem voor. Hij was geneigd te schreeuwen: 'Maar het is nog maar een kind!'

Hij had hem de fles gegeven. Toen Ben vier was plaste hij nog steeds in bed en schaamde zich daar 's morgens voor. Meer dan een jaar had hij zich daar ongelukkig over gevoeld.

Hoeveel weken waren verlopen sinds zijn vader voor het laatst had gevraagd: 'Gelukkig, Ben?'

Zonder de geringste aarzeling, met een stem die pas sinds twee jaar vreemd zwaar was gaan klinken had hij geantwoord: 'Ja, dad.'

Hij was geen prater. Hij toonde zijn gevoelens niet gemakkelijk. Maar kende Dave, die hem tenslotte zestien jaar lang had meegemaakt, hem niet beter dan wie dan ook?

'Breng jij meneer Galloway terug?'

'Moet ik Dan ook meenemen?'

'Nee. Die heeft per telefoon andere instructies gekregen.'

Weer werd een grote gespierde hand uitgestoken, die zijn hand nog iets langer vasthield dan de eerste keer.

'Tot ziens, meneer Galloway. Ik zal u op de hoogte houden, tenzij de zaak wordt overgenomen door een ander ressort, wat natuurlijk altijd kan.' Hij wierp een blik op zijn bureau: 'Ik heb uw telefoonnummer...ja.'

Dave werd zo door het zonlicht verblind dat hij zijn ogen dicht moest doen. De lucht om hem heen trilde, vliegen zoemden tussen de bloemen in de perken. Hij zat alweer in de auto toen hij hoorde zeggen: 'Ik kan misschien maar beter alle raampjes openzetten.'

Er kwam een arm voor hem langs om zijn raampje open te draaien en hij kromp ineen.

'O sorry, u had vast nog wel een tweede kop koffie gewild? We hebben koffie op het bureau en ik heb er helemaal niet aan gedacht om die u aan te bieden.'

Werktuiglijk antwoordde hij: 'Dat geeft niet.'

'De commissaris is een beste kerel. Hij heeft drie kinderen. De jongste is net een week geleden geboren terwijl hij dienst had, net als vandaag.'

De agent stak zijn hand uit, draaide aan een knop en na wat geknetter werd een nasale stem hoorbaar die een getal herhaalde, het kentekennummer van de auto. Pas toen de bestuurder haastig de radio uitzette, alsof hij zonder erbij na te denken iets tactloos had gedaan, begreep Galloway dat het om de blauwe Oldsmobile ging.

De man in uniform probeerde nog twee of drie keer een gesprek aan te knopen, terwijl hij de klokkenmaker tersluiks gadesloeg, maar hield tenslotte zijn mond.

Ze gingen langs dezelfde bossen, hetzelfde golfterrein, dezelfde dorpjes, met meer auto's op de weg en voor de restaurants. Ben was daar een paar uur eerder langs gekomen, met Lillian die dicht tegen hem aangedrukt zat. Zou het iets uitmaken als Dave nu uit alle macht zou schreeuwen? Alsof een menselijke stem dwars door alle staten van Amerika heen gehoord kon worden, alsof afstand niet bestond: 'Ben!'

De aandrang om het uit te schreeuwen was zo sterk dat hij zijn tanden op elkaar klemde en zijn nagels in het vlees van zijn handen drukte. Hij herkende Poughkeepsie niet eens, merkte niet dat ze eerst door voorsteden en toen door een stad reden. Toen de auto langs het bord met de naam van zijn eigen dorp reed had hij niet het gevoel thuis te komen. Hij keek naar de Old Barn, vervolgens naar de First National Store en ten slotte naar het grasveld, de winkels, zijn eigen winkel, de zaak van mevrouw Pinch, van de kapper, alsof nog slechts de lege huls restte van wat eens zijn dorp was geweest.

Hij wist niet hoe laat het was, want hij was alle notie van de tijd kwijt. De tijd bestond niet meer, net zomin als de ruimte. Hoe kon hij bijvoorbeeld geloven dat Ben op dit moment ergens in Virginia reed, of misschien zelfs wel op een weg in Ohio of Kentucky?

Dave was zelf nog nooit zo ver als Kentucky geweest en Ben was nog maar een kind. Toch waren tientallen, honderden speciaal opgeleide mannen in de kracht van hun leven bezig hem met behulp van alle moderne middelen op te sporen en in het nauw te drijven.

Het kon gewoon niet. Net zomin als het mogelijk was dat zijn foto vanavond of morgen door alle Amerikaanse kranten op de voorpagina zou worden afgedrukt als die van een gevaarlijke crimineel.

'Zal ik u aan de achterkant van het blok afzetten?'

Midden op de zondag liep er nooit iemand door het dorp. Na de kerkdiensten werd het stil op straat. Pas later op de dag waren er weer geluiden te horen en de levendigheid kwam terug bij het partijtje honkbal.

De agent liep om de auto heen om het portier voor hem open te doen. Galloway gaf hem een hand en zei beleefd: 'Dank u wel.'

De garage was versperd door een afzetlint dat aan beide zijden verzegeld was en om de kras te beschermen was er speciaal gompapier overheen geplakt. Hij liep de trap op zonder iemand tegen te komen en in gedachten zag hij de oude Hawkins nog neergeploft zitten op de derde tree, zoals hij daar in zichzelf met een schuddend hoofd zat te praten.

Misschien was op dat ogenblik alles al gebeurd. Dat was zo goed als zeker. Hij wilde niet aan alle details denken. En op de overloop had Isabelle Hawkins staan praten over haar dochter en de achtendertig dollar die waren verdwenen uit het kistje in haar keuken.

Hij hoorde voetstappen achter de deur van de oude Poolse dame die de hele dag op pantoffels liep vanwege haar opgezwollen benen. Dat veroorzaakte een vreemd, onopvallend schuifelend geluid, als van een onzichtbaar dier in het bos.

Hij deed zijn deur open; rond deze tijd bescheen de zon eenderde van de huiskamer, dus ook de hoek waar de groene bank stond. Ben ging daar 's avonds meestal liggen en hield dan zijn boek boven zijn gezicht.

'Vind je dat een gemakkelijke houding?'

'Ik lig prima.'

Galloway wist niet wat te doen. Hij had zijn hoed nog op en kwam niet op de gedachte om koffie te zetten of wat te eten. Hij verwachtte ieder moment het geschreeuw te horen dat het begin van de honkbalwedstrijd aankondigde. Als je in de badkamer op een krukje ging staan, kon je door het raampje een gedeelte van het sportveld zien.

Wat was hij in de keuken komen doen? Niets. Er was niets te doen. Hij liep terug naar de huiskamer en zag zijn sigaretten op de radio liggen, maar pakte ze niet. Hij had geen trek in een sigaret. Zijn knieën trilden vreselijk, maar hij ging niet zitten.

Het raam was dicht. Het was warm. Toen hij zijn voorhoofd wilde afvegen, merkte hij dat hij zijn hoed nog op had en zette hem af.

Toen, plotseling, alsof hij daar speciaal voor thuisgekomen was, liep hij naar de kamer van Ben en ging languit op zijn buik op het bed van zijn zoon liggen, pakte met beide handen het kussen beet en bleef toen stil liggen.

Hoofdstuk 4

In het begin deed hij het niet expres. Hij was zich gewoon nergens van bewust. Als hij bleef liggen, was dat omdat hij zo moe was, omdat de moed hem ontbrak overeind te komen. Er was ook geen enkele reden om dat te doen. Langzamerhand maakte een gevoel van verdoving zich meester van zijn ledematen, van zijn hele lichaam, vergelijkbaar als bij koorts. En hij had de indruk dat zijn geest door die verdoving intenser ging leven, maar op een ander niveau. Het was enigszins, hoewel hij dat nooit aan iemand zou toegeven uit angst te worden uitgelachen, of hij in een hogere werkelijkheid kwam waarin alles een diepere betekenis kreeg.

Als kind had hij dat vaak gehad. Hij herinnerde zich vooral die ene keer, in Virginia, toen hij vijf jaar was. Het had misschien een uur geduurd, of misschien maar een paar minuten, want zo'n toestand is net als dromen die ook altijd lang lijken te duren omdat de tijd dan juist niet meer bestaat. Het was in ieder geval zijn meest levendige herinnering, die eigenlijk zijn hele jeugd weerspiegelde.

Hij lag toen ook languit, niet zoals nu op het bed van Ben op zijn buik, maar buiten op zijn rug, met zijn handen in zijn nek, zijn gezicht in de zon, en hij hield zijn ogen dicht terwijl er rode en gouden vonkjes door zijn oogleden heen prikten.

In die periode was hij zijn eerste melktanden aan het

verliezen en half dromerig duwde hij met de punt van zijn tong tegen een wiebelende tand. Dat deed geen pijn. Integendeel, het veroorzaakte een heerlijk gevoel dat in golven door zijn hele wezen stroomde, zo heerlijk dat hij niet kon geloven dat zoiets geen zonde was en waardoor hij zich er altijd over bleef schamen.

Sinds die dag had hij nooit meer zo intens zijn eigen leven verbonden gevoeld met het universum, zijn hart voelen kloppen op het ritme van de aarde, het gras om hem heen, de boombladeren die boven zijn hoofd ruisten. Zijn polsslag werd de polsslag van de wereld en zijn aandacht was bij alles tegelijk, bij de bewegende sprinkhanen, bij de koele aarde die tot zijn rug doordrong en bij de zonnestralen die zijn huid verwarmden; ook de geluiden, voor het merendeel vaag en onbestemd, maakten zich met buitengewone helderheid van elkaar los, het gekakel van de kippen in hun hok, het geronk van de tractor op de heuvel, de stemmen op de veranda, vooral die van zijn vader die, al nippend aan zijn glas whisky, zijn zwarte beheerder instructies gaf.

Hij zag hem niet, maar wist toch zeker dat het beeld dat hij van zijn vader had behouden het beeld van die dag was, in de paarsige schaduw, met die rossige snor die hij na elke slok met zijn wijsvinger afveegde.

Heel duidelijk hoorde hij de verschillende lettergrepen maar hij deed geen moeite hun betekenis te begrijpen, want het was totaal niet belangrijk wat de woorden betekenden. Wat telde was de stem van zijn vader, kalm en geruststellend met al die andere geluiden uit de omgeving die een melodie op de achtergrond vormden.

Soms onderstreepte de neger een zin met: '*Yes, sir.*'

En ook zijn stem klonk heel anders dan alle stemmen

die hij sindsdien gehoord had, diep uit zijn borst, zwaar en zacht als het vruchtvlees van rijp fruit.

'Yes, sir.'

Dat zuidelijke accent, dat langgerekte 'sir' waarvan de r aan het eind verdween en dat klonk als een bezwering.

Dit speelde zich af in het huis waar zijn vader was geboren. De aarde daar was donkerrood, de bomen groener dan overal elders en de zomerzon stond altijd honingkleurig aan de hemel.

Had hij die dag niet gezworen dat hij op zijn vader wilde lijken? Als zijn moeder hem met de bestelwagen naar school bracht in het naburige stadje en iemand riep dat hij op haar leek, dan voelde hij zich de dagen erna telkens ongelukkig als hij in de spiegel keek.

Ook in de stad was het stof rood, de houten huizen waren in dezelfde zoetelijke kleur geel geschilderd als het huis van Musak. Had Musak misschien in Virginia gewoond?

Everton ontwaakte uit zijn middagdutje, hij wist het. Hij wist waar hij was, was niets vergeten. Maar hij kon heden en verleden door elkaar halen zonder in de war te raken. Hij maakte er één geheel van, omdat het, alles bijeen genomen, waarschijnlijk ook één geheel was.

Hij hoorde beneden praten, een vrouwenstem: 'Denk je dat hij thuis is?'

Toen de man antwoordde herkende hij diens stem. Dat was de man van het postkantoor die in de optocht op 4 juli altijd vooropliep met de vlag. Hij trok zijn vrouw ongetwijfeld al aan haar arm mee, want het klonk zachter: 'Ik hoorde dat hij net is thuisgebracht. Kom mee.'

Ook al spraken ze zacht, hij hoorde alles.

'Die arme kerel!'

Ze liepen in de richting van het honkbalterrein. Anderen kwamen voorbij. Hij hoorde steeds meer knerpende stappen over de stoffige stoep gaan. Niemand bleef staan, maar iedereen keek waarschijnlijk even omhoog naar zijn raam.

Het was bekend. Via de radio natuurlijk. Vroeg in de morgen was er een waarschuwing uitgegaan via de politiezender, daarna was besloten het bericht vrij te geven voor het nieuws van twaalf uur.

Er stond een radiootje op het nachtkastje naast hem. Hij hoefde niet te kijken om dat te weten, want hij had het zelf aan Ben gegeven voor zijn twaalfde verjaardag, in de tijd dat hij iedere avond geboeid luisterde naar een cowboyprogramma.

Was het niet vreemd dat Ben op dit ogenblik misschien in datzelfde Virginia was waar Dave zo vaak over verteld had, maar waar zijn zoon nog nooit een voet had gezet?

'Is de aarde daar echt rood?' vroeg hij luttele jaren terug nog ongelovig.

'Niet rood als bloed, maar toch rood. Ik weet er geen ander woord voor.'

Zouden ze zijn gestopt om iets te eten in een drive-in of wat broodjes hebben gekocht onderweg?

Iemand, waarschijnlijk een jonge knul, gaf in het voorbijgaan twee of drie tikjes tegen de ruit van de juwelierswinkel. Meteen daarna barstte het geschreeuw op het sportveld als een orkest los, gefluit en rumoer zoals elke zondag van toeschouwers die op de banken gingen staan zwaaien met hun armen.

Op een dag niet lang na die zonnige middag in het gras was in plaats van zijn moeder een van de negers van de boerderij hem uit school komen ophalen en toen hij thuiskwam waren zijn ouders er niet, maar wel huilende bediendes die vol medelijden naar hem keken.

Hij had zijn vader nooit meer gezien. Die was tegen enen gestorven, helemaal alleen in de wachtruimte van een bank in Culpeper waar hij naar toe was gegaan om een nieuwe lening te regelen. Zijn moeder was telefonisch gewaarschuwd en het lijk was direct overgebracht naar een rouwkamer.

Zijn vader was veertig. Sindsdien was hij ervan overtuigd dat hij ook op zijn veertigste zou overlijden, omdat hij immers op hem leek. Die gedachte leefde zo sterk in hem dat hij, nu hij drieënveertig was, soms verbaasd was nog in leven te zijn.

Zou Ben zich op zijn beurt hebben ingebeeld dat hij op hem leek? Dat hun bestaan op een soortgelijke manier zou verlopen? Hij had hem dat nooit durven vragen, huiverig als hij was voor rechtstreekse vragen. Hij sloeg zijn zoon vaak heimelijk gade en probeerde dan het antwoord te raden.

Was zijn eigen vader net zo nieuwsgierig geweest naar hem, net zo bezorgd? Ging dat zo bij alle vaders en bij alle zonen? Hoe vaak had hij zich niet op een bepaalde manier gedragen door de herinnering die hij had aan zijn vader? Toen hij zeventien was had hij een paar maanden een snor laten staan om nog meer op hem te lijken.

Kwam het misschien omdat zijn moeder twee jaar later hertrouwd was dat hij hem zo verheerlijkte in zijn herinnering? Hij was daar niet zeker van. Hij moest daar vaak aan denken, zeker wanneer hij zich zorgen maakte over Ben.

Nog geen twee weken na de begrafenis was de boerderij in Virginia verkocht en waren ze in een stad gaan wonen waar hij niet graag aan terugdacht, Newark in New Jersey. Hij was er nooit achter gekomen waarom zijn moeder die stad had gekozen.

'We zaten aan de grond,' had ze hem later uitgelegd zonder hem te overtuigen. 'Ik moest de kost verdienen en kon niet gaan werken in een streek waar iedereen mijn familie kent.'

Ze was een Tuesdell en een van haar voorouders had een rol gespeeld bij de federatievorming. Maar de familie Galloway, die een gouverneur en een historicus had voortgebracht, was niet minder bekend.

In Newark hadden ze geen bedienden. Ze woonden op de derde verdieping van een somber bakstenen huis met aan de buitenkant een ijzeren brandtrap die voor hun raam liep en bij de eerste verdieping ophield.

Zijn moeder werkte op een kantoor. Ze ging 's avonds vaak uit en betaalde dan een oppas voor Dave.

'Als je lief bent gaan we weer gauw terug naar een groot huis buiten de stad.'

'Naar Virginia?'

'Nee, in de buurt van New York.'

Ze bedoelde White Plain, waar ze inderdaad waren gaan wonen toen zijn moeder was getrouwd met Musselman.

Als hij nu de radio aanzette, zou hij dan over Ben horen praten? Hij had het al twee, drie keer willen doen, maar bezat niet genoeg moed om zijn verdoving van zich af te schudden en weer in de harde werkelijkheid terug te keren. En hij wist dat dit bij het minste gebaar van hem dreigde te gebeuren. Hij zou dan opstaan, door de kamer lopen, het raam gaan opendoen, want het begon warm te worden in de woning. Hij zou ongetwijfeld zelfs iets gaan eten, zijn maag knorde.

Dat kon later ook nog. Zolang hij in die toestand van dat jongetje in Virginia bleef, was hij naar zijn idee dichter bij Ben.

Misschien wilde zijn zoon niet op hem lijken? Toen hij een keer buiten op de stoep voor de winkel met andere kinderen aan het spelen was had hij het zoontje van de garagehouder horen roepen: 'Mijn vader is sterker dan de jouwe. Als hij wil, kan hij hem met één klap tegen de grond slaan.'

Dat was ook zo. De garagehouder was een kolos en Dave deed nauwelijks aan sport. Hij had gespannen gewacht op de reactie van Ben, die niets had gezegd.

Dat had hem toch wel wat gedaan, wat dwaas was. Het betekende niets. Toch had hij van binnen een steek gevoeld en na zeven jaar herinnerde hij het zich nog steeds.

Het meest verwarrend vond hij het als zijn zoon heel stil naar hem zat te kijken, op momenten dat hij dacht dat er niet op hem werd gelet. Zijn gezicht stond dan ernstig, nadenkend. Hij leek ver weg. Vormde hij zich een beeld van hem, zoals Dave dat had gedaan van zijn vader?

Hij had dat beeld willen kennen, hem willen vragen: 'Schaam je je niet al te erg voor mij?'

Deze woorden hadden hem vaak op de lippen gebrand, maar dan had hij via een omweg gezegd: 'Ben je gelukkig?'

Zijn moeder had hem die vraag nooit gesteld. Als ze dat wel had gedaan, zou hij dan 'nee' hebben durven antwoorden?

Want hij was het niet. Het zien alleen al van Musselman, die tamelijk belangrijk was in het verzekeringswezen en kennelijk de behoefte had om dat de hele dag aan zichzelf te bewijzen, maakte het verblijf in het huis in White Plain voor hem ondraaglijk. Vanwege Musselman en zijn moeder was hij na de middelbare school naar een klokkenmakerschool gegaan, zodat hij snel zijn brood kon gaan verdienen en niet meer bij hen hoefde te wonen.

Ook Ben was weggegaan, gisteravond. Een grote muurkast in de kamer stond nog vol met zijn speelgoed: opwindbare autootjes, tractors, een boerderij met dieren, cowboykleren, compleet met riemen, hoeden, sporen en pistolen. Er lagen wel twintig pistolen, allerlei modellen, allemaal kapot.

Ben gooide nooit iets weg. Hij borg zelf zijn oude speelgoed op in de kast en onlangs had zijn vader hem betrapt toen hij serieus probeerde een deuntje te spelen op een goedkope fluit die hij al had toen hij negen of tien was.

Via een luidspreker op het sportveld daarginds werd de wedstrijd becommentarieerd en de mensen op de banken hadden het vast over hem. Had Musak naar de radio geluisterd? Of was iemand hem het nieuws komen vertellen? Hij zou evengoed wel op zijn veranda zitten, trekkend aan zijn opgelapte, reutelende pijp.

Een auto stopte voor de winkel. Twee mensen stapten uit, mannen, naar hun stappen te oordelen. Ze liepen naar de etalage en keken naar binnen.

'Is er geen bel?'

'Niet dat ik zie.'

Ze klopten op de deurruit. Dave bewoog zich niet.

Een van de twee liep achteruit tot midden op de straat om naar de ramen op de eerste verdieping te kijken.

De oude Poolse vrouw stond zeker in haar raamopening geleund, want ze schreeuwden vanaf beneden naar haar: 'Meneer Galloway, alstublieft?'

'Hiernaast.'

'Is hij thuis?'

Half in het Engels, half in haar eigen taal probeerde ze hen uit te leggen dat ze moesten omlopen, via het deurtje tussen de garages de trap op. Ze begrepen het blijkbaar want ze gingen ten slotte weg.

Dave wist dat ze elk ogenblik op zijn deur konden kloppen en vroeg zich niet eens af wie het waren.

Het was hoog tijd dat hij uit zijn verdoving geraakte. Die was al langzaam van hem afgegleden, maar hij hield die toestand kunstmatig in stand. Dat was een trucje, een bepaalde manier van zijn spieren spannen en zichzelf in het matras drukken. Hij wachtte niet tot hij stappen op de trap hoorde en tilde zijn hoofd op, deed zijn ogen open en vond het raar dat alles nog was zoals altijd, de voorwerpen met hun precieze vorm, het heldere vlak van het raam, een hoek van de zitkamer die hij door de halfopen deur kon zien.

Er werd geklopt en zonder te antwoorden ging hij op de rand van het bed zitten. Zijn hoofd was nog leeg en het drama dat zich momenteel voltrok was nog niet helemaal tot hem doorgedrongen.

'Meneer Galloway!'

Er werd harder geklopt. De buurvrouw was naar haar voordeur gekomen en praatte erop los.

'Ik heb hem tegen enen horen thuiskomen en hij is niet weer weggegaan. Het is alleen wel merkwaardig dat ik sinds dat tijdstip geen enkel geluid in zijn huis heb gehoord.'

'Is hij volgens u iemand om zelfmoord te plegen?'

Hij fronste stomverbaasd zijn wenkbrauwen, hij had daar geen moment aan gedacht.

'Meneer Galloway! Hoort u ons?'

Berustend stond hij op, liep naar de deur en draaide de sleutel om.

'Ja?'

Het waren geen agenten. De ene had een leren tas schuin over zijn borst en een groot fototoestel in zijn hand. De dikkere noemde de naam van een krant uit New York, alsof ze verder niets hoefden uit te leggen.

'Neem in ieder geval je foto, Johnny.'

Bij wijze van excuus legde hij uit: 'Dan is die er in ieder geval op tijd voor de avondeditie.'

Ze wachtten niet op zijn toestemming. Een flits, een klik.

'Een ogenblik! Waar was u toen wij kwamen?'

Hij gaf antwoord zonder na te denken, want hij loog eigenlijk nooit: 'In de kamer van mijn zoon.'

Hij had er meteen spijt van, te laat.

'Is dat deze? Wilt u even naar binnen gaan? Zo, ja. Blijft u maar voor het bed staan. Kijk er even naar.'

Er stopte nog een auto voor het huis, een portier sloeg dicht, er klonken haastige stappen over de stoep.

'Schiet op! Klaar? Naar de krant ermee. Maak je maar geen zorgen om mij. Ik kom wel thuis. Sorry, meneer Galloway, maar wij waren er als eersten en er is geen enkele reden dat wij daar niet van zouden profiteren.'

Twee andere mannen drongen de woning binnen waarvan de deur niet meer op slot was. Ze kenden elkaar alle vier, spraken onderling terwijl ze rondkeken.

'Er is ons verteld dat de politieauto u tegen enen heeft

thuisgebracht en dat u niet had gegeten. Hebt u inmiddels iets gehad?'

Hij zei van niet. Hij voelde zich machteloos tegenover hun energie. Ze leken zoveel sterker dan hij, zo zeker van zichzelf!

'Hebt u geen trek?'

Hij wist het niet meer. Dat lawaai, dat heen en weer lopen, al dat flitsen maakte hem duizelig.

'Kookte u altijd voor uw zoon en uzelf?'

Nu kreeg hij zin om te huilen, niet van verdriet, maar van vermoeidheid.

'Ik weet het niet. Ik weet niet eens wat u aan mij vraagt.'

'Hebt u een foto van hem?'

Hij had zich bijna verraden, zei woest 'nee', vastberaden om zich ditmaal te verdedigen. Het was een leugen. Er lag een album vol foto's van Ben in een la in zijn slaapkamer. Maar voor geen prijs ter wereld mochten zij dat weten.

'U zou wat moeten eten.'

'Misschien.'

'Zullen we een boterham voor u maken?'

Hij deed het liever zelf en ze namen nog een foto voor de open koelkast.

'Weten ze nog steeds niet waar hij is?' waagde hij op zijn beurt schuchter, gereed om weer in zijn schulp te kruipen.

'Hebt u niet naar de radio geluisterd?'

Hij schaamde zich om het toe te geven alsof hij zijn vaderplicht had verzaakt.

'Vanaf nu heeft de politie weinig vertrouwen meer in de tips die ze krijgt, want de blauwe Oldsmobile wordt op vijf of zes plaatsen tegelijk gesignaleerd. Sommigen beweren hem een uur geleden gezien te hebben bij Larrisburg in Pennsylvania, wat zou betekenen dat ze zijn teruggereden. Een restauranthouder uit Union Bridge in Virginia echter bevestigt dat ze bij hem hebben ontbeten vlak voordat hij hun signalement op de radio hoorde. Hij vermeldt zelfs wat ze hebben besteld: garnalen en gebraden kip.'

Hij deed zijn best geen emoties op zijn gezicht te laten zien. Het was het lievelingseten van Ben als ze wel eens in een restaurant aten.

'Ik veronderstel dat hij uw automatische pistool heeft meegenomen?'

Hij zei stellig, opgelucht door deze afleiding: 'Ik heb nooit een wapen gehad.'

'Wist u dat hij er een had?'

Ze maakten aantekeningen. Galloway dwong zichzelf, staande, zijn boterham op te eten en dronk er een glas melk bij.

'Hij heeft nooit iets anders dan kinderpistooltjes gehad. Hij was altijd een rustige jongen.'

Voor Ben verdroeg hij dit allemaal. Hij wilde niet dat de kranten hem op de huid zouden zitten en was daarom geduldig en probeerde de verslaggevers ter wille te zijn.

'Heeft hij veel met pistooltjes gespeeld?'

'Niet meer dan andere jongens.'

'Tot welke leeftijd?'

'Ik weet het niet. Tot een jaar of twaalf?'

'En waarmee speelde hij daarna dan?'

Het lukte hem niet om zich dat zo maar ineens te herinneren en dat vond hij vervelend. Hij vond dat hij zich alles zou moeten herinneren wat zijn zoon aanging. Was hij toen niet enthousiast geworden voor *football*? Nee. Football, dat was minstens een jaar later. Er zat nog iets tussen.

'Dieren!'

'Wat voor dieren?'

'Allerlei. Wat hij maar kon vinden. Hij heeft witte muizen gehad en hij kwam wel eens thuis met jonge konijntjes die hij gevonden had en die dan na een paar dagen doodgingen...'

Dat scheen ze te interesseren.

'Is zijn moeder overleden toen hij nog klein was?'

'Daar praat ik liever niet over.'

'Luister eens, meneer Galloway, als wij er niet over praten, dan doen anderen het wel. Binnen een uur staan hier nog meer verslaggevers op de stoep. En wat u hun niet vertelt, zullen ze elders navragen.'

Dat was waar. Hij kon ze beter maar helpen.

'Ze is niet dood.'

'Gescheiden?'

Zacht en met tegenzin, alsof hij een stukje van zijn diepste geheim prijsgaf: 'Ze is weggegaan.'

'Hoe oud was uw zoontje toen?'

'Een half jaar. Maar ik zou toch veel liever...'

'We zullen het zeer tactvol behandelen, weest u maar niet bang.'

Het was hun beroep, dat begreep Dave wel en hij nam het hun niet kwalijk. Net als iedereen had hij ook zulk soort berichten in de krant gelezen, maar hij was nog nooit op het idee gekomen zich te verplaatsen in de mensen die daar spraken. Het was altijd of dat in een andere wereld gebeurde.

'Wist u dat hij iets met Lillian Hawkins had?'

Hij zei 'nee', omdat dat zo was.

'Kende u haar?'

'Van gezicht. Ze is twee of drie keer in mijn winkel geweest.'

'Ik veronderstel dat u het heel goed kon vinden met uw zoon?'

Wat kon hij hier op antwoorden? Hij zei 'ja'. Hij was ervan overtuigd. In ieder geval was hij er tot afgelopen nacht van overtuigd geweest en hij kon dat niet zomaar loslaten. Een van zijn ondervragers, een lange magere man, zag er eerder uit als een jonge professor van Harvard dan als een verslaggever en Dave vond het vervelend dat hij steeds naar hem keek. Die man had nog geen vragen gesteld, maar nu nam hij het woord: 'Dus eigenlijk bent u vader en moeder tegelijk geweest voor uw zoon?'

'Ik heb mijn best gedaan.'

'Hebt u nooit gedacht dat u hem een veel normaler leven zou hebben gegeven als u was hertrouwd?'

Hij bloosde, voelde dat hij bloosde en was daardoor nog ongelukkiger. Zonder nadenken stamelde hij: 'Nee.'

Alsof hij een bepaalde redenering volgde, ging de journalist onverstoorbaar verder: 'Was u jaloers op hem?'

'Jaloers?' herhaalde hij.

'Als hij uw toestemming had gevraagd om met Lillian Hawkins te mogen trouwen, hoe zou u dan hebben gereageerd?'

'Dat weet ik niet.'

'Had u die gegeven?'

'Ik denk van wel.'

'Van ganser harte?'

De dikke, die het eerste was gekomen, stootte zijn collega met zijn elleboog aan, waarna deze ophield met zijn vrijpostige vragen.

'Sorry dat ik zo aandring, maar ik interesseer me vooral voor de menselijke kant.'

De ploeg van Everton maakte zeker een homerun, want er werd minutenlang gejuicht.

'Hoe hebt u het nieuws gehoord?'

'Van de politie. Ze hebben eerst geprobeerd op te bellen. Het toestel staat beneden, in de winkel.'

Op dat gebied wilde hij wel details verschaffen. Dat ontspande hem. Hij legde omstandig uit hoe hij helemaal om het gebouw heen moest lopen om in de winkel te komen en hoe de twee mannen van de politie, in uniform, plotseling met hun auto waren opgedoken, uitgestapt waren en zijn naam hadden gezocht op de gevel, waarna ze in hun opschrijfboekje hadden gekeken.

'Had u geen enkel vermoeden?'

Ze spraken met elkaar, half fluisterend, waarna de fotograaf vroeg: 'Zou u het vervelend vinden om even in de winkel te poseren?'

Hij stemde ermee in, nog steeds voor Ben. Hij schaamde zich wel een beetje voor de rol die hij kreeg opgedrongen, maar hij had er alles voor over om ze voor zich te winnen.

Ze gingen in ganzenpas naar beneden en Dave, die de sleutel van de winkel was vergeten, moest weer naar boven om die te halen. Het huis, waar iedereen had staan roken, rook niet meer hetzelfde en was zijn geborgenheid kwijt.

Pas op dat moment, toen hij zijn ogen over de meubels liet gaan om de sleutel te zoeken, begreep hij dat er definitief een punt was gezet achter zijn leven tot dan toe en dat, hoe het ook verder liep, hij tussen deze muren nooit meer met Ben dezelfde manier van leven zou kunnen oppakken. Het was niet meer zijn huis, hun huis. Alle spullen zagen eruit of ze niet van hem waren en het bed van Ben, waarop hij, Dave, daarnet nog languit lag, was niets anders dan een doodgewoon bed met daarop de afdruk van een lichaam.

Op de binnenplaats stonden ze half fluisterend over hem te praten. Ze hadden vast medelijden. De man die op een professor leek had hem zonder dat te bedoelen met zijn vragen gekwetst, want hij had hardop de woorden uitgesproken die hem voortaan zouden achtervolgen. Hij zou daar vast zelf ook wel allemaal op gekomen zijn. Hij had er zelfs al aan gedacht, voordat dit allemaal was gebeurd, maar niet op dezelfde manier. Zo, op deze manier uitgesproken, werd de waarheid pijnlijk, smerig, zoals foto's van vrouwen in bepaalde houdingen die jonge knullen in het geheim aan elkaar doorgeven.

Van beneden werd gevraagd: 'Hebt u hem al?'

Hij pakte de sleutel en ging naar beneden, waarna ze gezamenlijk verder liepen.

'Is dat uw garage?'

'Ja.'

'Maak er straks nog even een foto van, Dick. We moeten waarschijnlijk de twee middenpagina's vullen.'

Twee vrouwen zaten pratend in het gras terwijl ze hun spelende kinderen in de gaten hielden en vanuit de verte keken ze toe hoe de groep de juwelierswinkel binnenging. De jongste van de twee was in verwachting.

'Waar zijn die haakjes voor?'

'Daar hang ik overdag de horloges aan die gemaakt moeten worden. Het duurt wel een paar dagen om een horloge goed af te stellen.

'Zit u aan die tafel te werken? Waar zijn de horloges?'

'In de kluis.'

Ze vroegen hem ze even op te hangen, zijn witte jas aan te trekken en de loep met de zwarte rand voor zijn oog geklemd te houden.

'Kunt u niet een stuk gereedschap in uw hand nemen? Ja... zo... Niet meer bewegen...'

Hij deed net of hij aan het werk was.

'Nog heel even. Ik neem er nog een.'

Eigenlijk zou iemand hem in bescherming moeten nemen en even schoot de gedachte aan zijn vader door zijn hoofd. Hij kon de moed niet opbrengen om weerstand te bieden en deed zo gewillig alles wat ze zeiden, dat ze verbaasd waren over zijn medewerking.

Had hij het recht zich thuis op te sluiten en niemand te zien? Als hij daarnet niet had opengedaan, dan waren ze ongetwijfeld een slotenmaker gaan halen of ze hadden de deur ingetrapt uit vrees dat hij zich had verhangen!

'Hebt u geen foto's van het meisje gevonden in de spullen van uw zoon?'

'Ik heb zijn spullen niet doorzocht.'

'Gaat u dat niet alsnog doen?'

'Beslist niet!'

Nog nooit had hij in de portemonnee van Ben gekeken, zelfs niet die keer dat er – Ben was toen elf – een dollar uit de la van de kassa was verdwenen. Voor zover hij wist was dat trouwens de enige keer dat het was gebeurd. Hij had er met zijn zoon over gepraat zonder echt door te vragen. Een paar zinnen maar, op een bedroefde toon.

Zijn eigen moeder zocht toen hij jong was altijd zijn zakken na en keek in zijn laatjes, en dat had hij haar nooit vergeven.

'Heeft de politie geen huiszoeking gedaan?'

Hij keek ze verschrikt aan.

'Denkt u dat ze dat gaan doen?'

'Dat is meer dan waarschijnlijk. Ik ben zeer verbaasd dat ze het nog niet gedaan hebben.'

Wat had dat nou voor zin?

Na de dood van zijn vader hadden ze een deel van de meubels opgestapeld op de rond het hele huis lopende veranda en een ander deel op het gazon, en de mensen waren van heinde en verre komen kijken en rondsnuffelen. De veiling was op een zaterdag en er was een pauze geweest om iedereen die er was te voorzien van limonade en hotdogs. Alles was verkocht, zelfs de fotolijstjes met de foto's er nog in.

Toen zijn vader in de kist lag had hij hem niet mogen zien, uit vrees dat hij dat niet aan zou kunnen, maar niemand had eraan gedacht om hem te verbieden die slachting mee te maken.

Wat er nu gebeurde was eigenlijk net zoiets. Hun hele privacy zou op straat komen liggen, hun privéleven blootgelegd, hun verleden, hun gewoontes, al hun doen en laten door Jan en alleman besproken.

Wat ze echter niet wisten, was dat hij tijdens hun ondervraging en die hele fotosessie meer bij Ben was dan bij hen. De hele middag had, als een ervoor geschoven beeld, de rode aarde van Virginia op zijn netvlies gestaan, de veel grotere, statige bomen met hun diepere kleur bladeren dan de bomen hier, en aldoor had hij gedacht aan de blauwe auto die voortraasde over de binnenwegen.

Ze moesten toch wel ergens stoppen. Zouden ze het risico nemen om de nacht door te brengen in een motel, of zouden ze ergens in een bos stoppen en daar slapen?

Ze hadden niet veel geld. Dave had dat meteen zitten

uitrekenen, 's morgens, toen de commissaris het had over de twaalf à veertien dollar in de portemonnee van Charles Ralston. Met de achtendertig dollar die Lillian uit de keuken van haar ouders had weggenomen was dat zo'n vijftig dollar. En als Ben, van zijn kant, er nog zo'n tien had gespaard...

Ze moesten eten, meerdere keren per dag benzine kopen.

Op dat ogenblik vroeg de verslaggever die al eerder van die vervelende vragen had gesteld: 'Vertelt u eens, meneer Galloway, hebt u er al aan gedacht dat u misschien een oproep kunt doen?'

Hij keek hem verbaasd aan, zonder het te begrijpen.

'Ik ben van Associated Press. Uw boodschap zou per telex naar alle kranten in de Verenigde Staten kunnen worden gestuurd en ik weet zeker dat ze hem allemaal plaatsen. Aan de andere kant is het waarschijnlijk dat uw zoon uit nieuwsgierigheid onderweg kranten koopt, al is het maar om te weten in welke richting ze hem zoeken.'

Hij had begrepen dat Dave aarzelde, maar misschien was hij in zijn gedachten al verder. Waarom zou hij daar anders nog aan hebben toegevoegd: 'Dat zou beter voor hem zijn, denkt u niet?'

Galloway herinnerde zich nu het opschrift dat bijna altijd boven aanplakbiljetten over criminelen in politiebureaus staat:

VOORZICHTIG – IS GEWAPEND

Ben was ook gewapend. Waardoor de politie geneigd zou zijn geen enkel risico te nemen en meteen zou schieten.

Was dat wat de verslaggever hem voorstelde?

Dat hij Ben zou aanraden om zich over te geven?

'Laten we nog even naar boven gaan, goed?'

Dat was inderdaad beter, want de honkbalwedstrijd was net afgelopen en de eerste auto's kwamen al voorbij. De voetgangers zouden daar in drommen achteraan komen, zoals na de mis of wanneer de bioscoop uitgaat. Dave werd helemaal in beslag genomen door de suggestie die ze hem net aan de hand hadden gedaan en vergat bijna de deur te vergrendelen.

De dikke verslaggever, die er het eerste was, stopte aarzelend op de hoek van de steeg.

'Hoe kom je bij de Hawkins?'

'Na de garage gaat u linksaf en dan neemt u de eerste weg rechts.'

Ervan uitgaande dat hij alles uit Galloway had gehaald wat eruit te halen viel, ging hij weg om hen op hun beurt te ondervragen. De ander leek geen belangstelling te hebben voor Lillian, alleen voor Ben en zijn vader. Hij was koel en meelevend tegelijk. De fotograaf ging ook niet mee naar boven, maar wachtte tot de menigte voorbijkwam om deze voor de juwelierswinkel op de foto te zetten.

Toen ze binnen waren, zei de vertegenwoordiger van de Associated Press onverschillig: 'De politie weet natuurlijk net zo goed als u hoeveel geld uw zoon op zak heeft. Het is niet moeilijk om uit te rekenen wat ze aan benzine kwijt zijn. Ze denken dat ze morgenavond door hun geld zullen zijn.'

'Heeft de commissaris daar met u over gesproken?'

'Nee, hij niet. De FBI doet mee aan het onderzoek nu de voortvluchtigen de grens van een of meerdere staten zijn gepasseerd met een gestolen auto. Sorry, als ik....

'Dat geeft niets.'

'Misschien, als uw zoon in de krant leest dat u hem dringend vraagt om zich over te geven...'

'Ik begrijp het.'

'Neemt u de tijd om het te beslissen. Ik wil niet dat u het uzelf naderhand verwijt. Hij hoeft er niet op te rekenen naar het buitenland te ontsnappen. En zelfs als dat wel zou lukken, dan kan hij altijd weer worden uitgeleverd, of hij nu naar Canada gaat of naar Mexico.'

De verslaggever was breeduit voor het raam gaan staan en keek naar de bomen aan de overkant, naar de kinderen die van het honkbalterrein kwamen en over het gras holden.

De politie zou als eerste schieten, daar was Dave van overtuigd. Zijn gesprekspartner probeerde niet om hem erin te luizen. Hij wist waarschijnlijk meer van de plannen van de FBI dan hij mocht zeggen.

Hij had er wel oren naar, maar werd bevangen door een soort duizeling. En dat kwam niet alleen door de gedachte dat hij kon voorkomen dat zijn zoon zou worden neergeschoten. Zonder aanwijsbare reden, uit intuïtie, geloofde hij niet dat dat zou gebeuren. Dat was theorie. Het leek logisch, bijna onvermijdelijk, maar hij had durven zweren dat het niet op die manier zou lopen.

Het kon gewoon niet dat hij Ben niet levend zou terugzien.

De ander stond nog steeds met zijn rug naar hem toe alsof hij hem niet wilde beïnvloeden. Dave pakte zijn zakdoek uit zijn zak, veegde zijn voorhoofd af, zijn handpalmen. Deed twee keer zijn mond open, alvorens te praten.

'Ik doe het,' zei hij ten slotte.

En zijn vingers trilden bij de gedachte dat hij als het ware contact ging opnemen met Ben.

Hoofdstuk 5

Er kwamen er nog meer; zo'n man of vijf, allemaal met een fotograaf, en een van hen had zijn vrouw meegenomen die beneden in een auto met open dak bleef wachten. Om de een of andere reden stonden er kriskras voor het huis meer dan vijf auto's, sommige met de naam van de krant erop, en er liepen aldoor mensen de trap op en af, de deur stond bijna de hele tijd open. Een van de fotografen, die voor zijn werk last had van de rook, deed gewoon het raam open en door de tocht bewogen de gordijnen en ritselden de blocnotevelletjes. Overal in huis waren pratende en rokende mensen in de weer.

Iedereen stelde ongeveer dezelfde vragen en Dave beantwoordde ze werktuiglijk, zonder ook maar te proberen na te denken, omdat hij de indruk had dat het totaal niet meer belangrijk was. Zijn knieën trilden van vermoeidheid, maar hij kwam er niet toe te gaan zitten, bleef bij hen staan, keerde zich nu eens tot de een en dan weer tot een ander.

Op de stoep aan de overkant van de straat liepen groepjes mensen langzaam langs het grasveld, gearmde stellen, gezinnen met kinderen die vooruit liepen of aan de hand werden meegetrokken, en iedereen keek naar boven om te proberen iets te zien door het raam, sommigen bleven zelfs stilstaan. De jongens en meisjes die anders altijd tegenover de Macks rondhingen hadden nu hun kamp opgeslagen rond de auto's van de pers.

Twee keer had Dave vanuit de verte de agent van die ochtend gezien, een van de twee in uniform, degene die in het dorp was gebleven en het druk leek te hebben.

Zonder er erg in te hebben rookte hij de ene na de andere sigaret, omdat degenen die hem interviewden hem hun pakje voorhielden. Zijn bezoekers zochten niet eens meer naar een asbak maar gooiden hun peuken op de grond en trapten ze met hun hak uit.

Om zes uur was de lucht bewolkt, het was drukkend alsof er onweer op komst was en soms was er een windvlaag waardoor de bladeren van de bomen aan de overkant heftig bewogen.

Ten slotte was de een na de ander weer vertrokken. Ze gingen allemaal ook bij de Hawkins langs waar het wel net zo druk zou zijn. Sommigen gingen naar de Old Barn om hun artikel door te bellen.

Op het moment dat Galloway dacht eindelijk alleen te zijn en hij zich net in zijn leunstoel liet vallen, werd er weer op de deur geklopt en toen hij opendeed zag hij een man met een koffer die heel zwaar leek.

'Zijn ze allemaal weg?' vroeg deze verbaasd.

Hij zette zijn koffer neer, veegde zijn voorhoofd af.

'Ik werk voor het belangrijkste radiostation. Daarnet kregen wij voor ons nieuwsbulletin de oproep die u aan uw zoon hebt gedaan. Mijn chef en ik dachten dat het waarschijnlijk meer tot hem zal doordringen als hij uw stem hoort.'

Wat Dave had aangezien voor een koffer was opnameapparatuur die de radioreporter op een van de tafels neerzette. Hij zocht een stopcontact.

'Vindt u het goed als ik het raam even dichtdoe?'

Het was bepaald niet makkelijk om de boodschap goed

onder woorden te brengen en net als Ruth vijftien en een half jaar daarvoor had Galloway verschillende kladjes verscheurd. Hij was op dat moment alleen in zijn huis met de verslaggever die op een professor leek en die discreet op de achtergrond bleef zonder zich ermee te bemoeien zolang hij zat te schrijven.

Geen van de zinnen die hij probeerde brachten hem dichter bij Ben, vond hij.

Je vader vraagt je...

Dat liep niet. Hij voelde wat hij wilde zeggen, maar kon het niet onder woorden brengen. Omdat ze altijd bij elkaar waren was er nooit een aanleiding geweest om elkaar te schrijven, behalve korte briefjes die een van beiden op de keukentafel achterliet. 'Ik ben over een uur terug. Eet maar vast, er ligt vlees in de koelkast.'

Hij mocht willen dat het zo eenvoudig was.

Ben, ik smeek je...

Het interesseerde hem niet of anderen hem zouden uitlachen of het niet begrepen. Hij richtte zich uitsluitend tot zijn zoon.

Ben, ik smeek je, geef je over.

Hij had bijna zijn papiertje zo, zonder verder iets erbij, overhandigd, maar krabbelde er toen toch nog bij: Ik ben niet kwaad op je. En ondertekend met 'Dad.'

De vertegenwoordiger van de Associated Press had het gelezen en sloeg zijn ogen op naar Galloway, die vol spanning naar hem keek en kritiek verwachtte.

'Kan ik dat zo zeggen?'

Hij veronderstelde dat de ander hem het tweede zinnetje zou laten schrappen. Maar nee, bijna plechtig vouwde hij het papiertje op en stopte het in zijn portefeuille.

'Natuurlijk kan dat!'

Zijn stem klonk vreemd toen hij dat zei en hij drukte hem de hand voor hij vertrok.

En nu vroeg Dave aan de man van de radio: 'Wilt u dat ik dezelfde zinnen zeg?'

'Prima, of iets anders als u dat wilt.'

Hij zette het apparaat aan, testte het, begon zijn inleiding met de snelheid van een professional.

'En dan nu, dames en heren, onderbreken wij een ogenblik ons programma voor een oproep die de heer Galloway, vanuit zijn huis in Everton, via de ether zal richten tot zijn zoon. Net als ieder van u hopen wij van ganser harte dat hij naar ons programma luistert.'

Hij hield Dave de microfoon voor en gaf een teken dat hij kon praten.

'Ben, hier is dad...'

Meteen vulden zijn ogen zich met tranen en hij kon de microfoon niet meer duidelijk zien, zag wel vaag het gebaar van de ander om door te gaan.

'Het is beter om je maar over te geven... Ja... Ik geloof echt dat dat beter is... Ik ben er altijd voor je, wat er ook gebeurt...'

Hij kreeg een brok in zijn keel en kon nog net uitbrengen: 'Ik ben niet kwaad op je...'

De reporter verbrak het contact.

'Prima. Uitstekend. Wilt u het horen?'

Hij schudde zijn hoofd. De blauwe Oldsmobile had een radio. Waarschijnlijk luisterden Ben en Lillian naar elk nieuwsbericht.

'Hoe laat wordt het uitgezonden?' vroeg hij nog onzeker toen zijn bezoeker al naar de deur liep.

'Waarschijnlijk bij de uitzending van negen uur.'

Hij vroeg dat niet om naar zijn eigen stem te kunnen luisteren, maar om op dat moment in gedachten dicht bij Ben te zijn.

Voordat hij ging zitten deed hij eerst het raam weer open, onverschillig voor de mensen die door de straat liepen, voor de nieuwsgierigheid van de dorpsbewoners en van wie dan ook.

Vanaf halfacht hingen er zulke donkere wolken dat hij het licht moest aandoen en op dat moment kwam er nog iemand op bezoek, een agent van de FBI, in burger, die nog geen dertig was en die hij al eens gezien meende te hebben.

'Sorry dat ik u stoor na een dag als vandaag, maar geloof me meneer Galloway, als het niet echt nodig was zou ik u niet lastigvallen.'

Hij hield hem een officieel papier voor waar Dave een vluchtige blik op wierp. Het was een huiszoekingsbevel.

'Ik zou graag de spullen van uw zoon doorzoeken. De linkerslaapkamer is van hem?'

Dave vroeg hem niet wat hij zocht, maar bedacht dat vooral Bens papieren, brieven en schriften zijn bezoeker interesseerden.

'Dadelijk wil ik ook graag een zo volledig mogelijke lijst van de vrienden van uw zoon, ook van degenen die niet meer in de omgeving wonen. Hebt u familie in het zuiden of het westen, meneer Galloway?'

'Een paar tantes in Virginia... als ze tenminste nog leven. Ik heb ze niet meer gezien sinds mijn zesde en ik heb ook nooit iets van ze gehoord.'

'Bent u nooit naar de Middle West geweest met uw zoon?'

'We zijn samen alleen naar Cape Cod en New York geweest.'

'Ziet u, het komt bijna nooit voor dat iemand op pad gaat zonder een bepaald doel. Als wij dat doel kennen hoeven we natuurlijk een minder groot gebied af te zoeken.'

Hij sprak tegen hem alsof hij ervan overtuigd was dat Dave aan hun kant stond.

'Het plan om naar een bepaalde plaats te gaan en niet ergens anders naar toe kan op verschillende manieren ontstaan, soms door een bepaald boek of een film of ook wel door wat er onder vriendjes zoal besproken wordt.'

Ben had niet veel boeken buiten zijn schoolboeken. Net twee plankjes vol van een tamelijk kleine boekenkast en de meeste gingen over dieren, een onderwerp waar hij vier jaar daarvoor erg veel belangstelling voor had.

Waarom vond Dave het nodig om te zeggen, alsof hij werd beschuldigd, of alsof hij zichzelf beter wilde voordoen: 'Weet u, dat wapen komt niet hiervandaan. Ik heb er nooit een gehad.'

Dat had hij 's morgens al verteld. Hij herhaalde het.

'We hebben de herkomst van het wapen al achterhaald.'

Terwijl hij in de boeken stond te bladeren, legde de agent uit: 'Ik veronderstel dat u dokter Van Horn kent?'

'Heel goed zelfs. Het is onze huisdokter. Zijn zoon Jimmy heeft hier jarenlang vaak gespeeld.'

Dat was vooral in de periode voordat Ben naar de middelbare school ging. Jimmy van Horn was indertijd klein en mager, heel druk. Maar twee jaar geleden was hij plotseling de lengte in gegaan en was nu een halve kop groter dan al zijn vrienden, leek zich geen raad te weten met zijn lengte, met het feit dat hij pas laat de baard in de keel kreeg.

'Hebt u hem de afgelopen tijd gezien?'

'Hij is niet hier over de vloer geweest, als u dat bedoelt, maar ik geloof zeker dat Ben hem vaak zag.'

'Dokter Van Horn heeft zo'n twaalf jaar geleden een automatisch pistool gekocht toen hij nog in Albay woonde en hij vaak 's nachts naar buitenwijken moest. Jimmy heeft dit wapen dat ergens halfvergeten in een hoek van een la lag voor vijf dollar aan uw zoon verkocht. Hij heeft dat vanmiddag bekend aan een agent van de landelijke politie. Die transactie heeft twee weken geleden plaatsgevonden.'

Dave kon daar niets tegenin brengen. De Van Horns gingen voor rijk door, bezaten het mooiste huis van Everton, met een heus park eromheen. Hun dochters hadden ieder hun eigen paard. Mevrouw van Horn was de erfgename van een fabrikant van chemische producten van een merk dat van kust tot kust bekend was.

'Hebt u deze brochure gekocht?'

Hij herinnerde zich niet dat hij de almanak die hem werd voorgehouden ooit eerder in huis had gezien. In het informatieve gedeelte stonden de namen van alle vroegere presidenten van de Verenigde Staten opgesomd, de bevolkingsaantallen van een aantal grote steden, statistieken, de toegestane snelheid op de wegen in verschillende staten.

Op een andere bladzijde vond de FBI-man bijna meteen, alsof hij ze aan het zoeken was, twee potloodkruisjes.

In de eerste kolom van die bladzijde stonden de namen van de staten in alfabetische volgorde, in de volgende kolommen de minimumleeftijd om te mogen trouwen, eerst voor mannen en daarachter voor vrouwen en ten slotte de verplichte termijnen om alles te regelen.

'Ik zie me genoodzaakt deze brochure mee te nemen.'

'Mag ik nog even kijken?'

De twee staten waar een kruisje bij stond waren Illinois en Mississippi. In Illinois was de minimumleeftijd voor jongens achttien jaar en voor meisjes zestien, terwijl deze cijfers voor Mississippi respectievelijk veertien en twaalf jaar waren. Bij geen van beide staten was een verplichte wachttijd, zodat je maar bij de eerste de beste ambtenaar van de burgerlijke stand hoefde te stoppen om binnen een paar minuten getrouwd te kunnen zijn. Ben kon makkelijk voor achttien doorgaan.

'Ik denk dat ik de namen die ik u daarnet vroeg niet meer nodig heb. Dit lijkt me het antwoord op de vraag.'

'Denkt u dat ze naar een van deze staten op weg zijn? Het zou zo simpel zijn geweest...'

Hij zweeg. Hij moest er vooral niet uitzien of hij het niet begreep. Hij hernam: 'Ik weet zeker dat, wanneer hij het ons uitlegt...'

De ander keek hem op een vreemde manier aan, alsof hij iets heel stoms had gezegd.

'U zou een beetje moeten proberen te rusten, meneer Galloway. Morgen wordt het ongetwijfeld een zware dag.'

Hij reikte hem de hand, hij ook al. Dave kreeg bijna de neiging hem te vragen om te blijven, ineens vol angst bij de gedachte alleen te moeten blijven. Hij wist niet waar te gaan zitten in zijn huis waar zoveel mensen waren binnengedrongen en die nog minder geborgenheid bood dan een stationswachtkamer. Zelfs de lampen leken minder licht te geven dan normaal.

Had hij dan voordat de politie die huiszoeking kwam doen zelf moeten kijken of er niets in de kamer van Ben lag dat hen op het spoor kon brengen? Hij had de indruk dat hij was tekortgeschoten ten aanzien van zijn zoon, niet scherpzinnig genoeg was geweest en hij zou hem wel om vergeving willen vragen. En wie weet, misschien had hij er ook geen goed aan gedaan die boodschap op te stellen, zijn oproep over de radio te doen. Er zouden vast mensen zijn die daaruit zouden opmaken dat hij dat had gedaan om aan de kant van de politie te staan.

Maar als Ben dat maar niet dacht, in godsnaam, nee! Tot nu toe was Dave niet op die gedachte gekomen. Het schoot hem nu ineens te binnen en hij kreeg spijt, hij zou de oproep die hij had opgeschreven en in zijn onschuld vervolgens voor de microfoon had herhaald, opnieuw willen doen.

Het was niet waar! Hij probeerde echt niet zich beter voor te doen en evenmin zijn verantwoordelijkheid te ontlopen. Ben, dat was hij zelf, hij zou zo in zijn plaats voor het gerecht willen verschijnen en de straf ondergaan.

Zou Ben dat begrijpen als hij zou horen: 'Ik ben niet kwaad op je.'

Op dat moment had hij geen andere woorden gevonden om het te zeggen. Dit was het enige dat bij hem was opgekomen. Hij begon nu alleen te beseffen dat ze als het ware een beschuldiging inhielden.

Hij beschuldigde niet, hij legde evenmin iets uit. Later zou er tijd zijn om te proberen het uit te leggen.

Ben was zijn zoon en Ben kon echt niet van de ene op de andere dag zijn veranderd. Zelfs als hij dacht aan Charles Ralston die aan de kant van de weg lag en aan wat er gebeurd was in de auto, dan nog lukte het hem niet het Ben kwalijk te nemen. Hij was geschokt, zoals mensen dat zijn door een grote ramp.

Denken putte hem uit. Hij had de radertjes in zijn

hoofd wel willen stoppen, zoals je het mechanisme van een klok stilzet. Buiten vielen de dikke regendruppels steeds sneller maar er was geen donderslag of bliksem. Dave liep rondjes door zijn huis. Zijn gedachten tolden ook rond. Het was pas kwart over acht en zijn boodschap via de radio zou niet voor negen uur worden uitgezonden.

Hij stond op het punt om naar buiten te gaan, blootshoofds, om wat verkoeling te vinden in de koude regen, en deze keer was het een opluchting stappen op de trap te horen.

Iemand liep zo zachtjes mogelijk de trap op, bleef daarna achter de deur staan zonder te kloppen, zonder iets te zeggen, terwijl hij binnen in spanning wachtte.

Er ging meer dan een minuut voorbij voordat hij een zacht geritsel hoorde over de vloer. Er werd een papiertje onder de deur doorgeschoven en het was zo geheimzinnig dat hij even aarzelde of hij het zou oprapen.

Met een dik timmermanspotlood stond er geschreven:

Als je me liever niet wilt zien, doe dan niet open. Ik zet een pakje op de overloop.

Het was ondertekend met 'Frank', de voornaam van Musak, die ze onderling nooit gebruikten. Hij was het die stond te wachten en toen Dave de deur opendeed stond hij daar in het halfduister met een pakje in zijn hand.

'Ik dacht dat je misschien niemand wilde zien, of dat je sliep.'

'Kom binnen, Musak.'

Hij was de eerste, die dag, die zijn voeten veegde op de deurmat en het was voor het eerst, voor zover Galloway zich kon herinneren, dat hij hem zijn pet zag afzetten.

Al die jaren dat ze elkaar kenden, dat ze iedere zaterdag samen triktrak speelden, was Musak nog nooit naar zijn huis gekomen want als hij zijn vriend iets te zeggen had, dan kwam hij langs in de winkel.

'Ik heb dit meegebracht,' zei hij terwijl hij het papier verwijderde dat om een fles whisky zat.

Hij had onthouden dat Dave hem ooit had gezegd dat hij vanwege Ben nooit alcohol in huis had, om hem niet in de verleiding te brengen en om tegelijkertijd het goede voorbeeld te geven.

'Als je liever hebt dat ik weer ga, dan zeg je het maar.'

Hij leek hier nog breder en grover dan bij hem thuis en toch liep hij zonder lawaai te maken, bijna zonder luchtverplaatsing, zoals hij zou hebben gedaan in een ziekenkamer. Hij vond de glazen in de keukenkast, haalde de ijsblokjes uit de koelkast.

'Heb je gegeten?'

Dave knikte van ja.

'Wat?'

'Een boterham.'

'Wanneer?'

'Weet ik niet. De honkbalwedstrijd was nog niet afgelopen.'

Hij herinnerde zich het geschreeuw op het veld toen hij zijn boterham in zijn hand had.

Musak reikte hem een van de twee glazen aan en hij durfde niet te weigeren.

'Het is tijd om wat stevigers te eten. Ga maar zitten. Laat mij maar even.'

Hij sprak met zijn brommende stem, minder hard dan anders, ging weer naar de keuken, deed de koelkast nogmaals open en vond er twee flinke biefstukken.

Dave kocht elke zaterdag twee dikke biefstukken voor hun middagmaal op zondag, voor Ben en hemzelf. Die traditie bestond al meer dan tien jaar. Pas toen hij het vlees op een bord zag liggen, bedacht hij dat het de vorige dag zaterdag was en dat hij, zoals zo vaak gebeurde, tegen tien uur 's morgens zijn winkel had gesloten om zijn boodschappen te gaan doen bij de First National Store.

Op het bordje op de deur stond: IK KOM OVER EEN KWARTIER TERUG.

's Middags tegen vijven, hij zat te werken aan een dameshorloge, was Ben de winkel binnengekomen. Hoewel Dave met zijn rug naar de deur zat, wist hij dat het zijn zoon was door de manier waarop de deur werd geopend.

'Vind je het erg als ik niet thuis kom eten, dad?'

Dave had zich niet omgedraaid, was met zijn loep voor zijn rechteroog boven de radertjes van het horloge gebogen blijven zitten. Hij had vast, zoals gebruikelijk, gezegd: 'Kom niet te laat thuis.'

'Ga je naar Musak?' had Ben gevraagd.

Hij had die vraag niet vreemd gevonden. Misschien had Ben die ook op andere zaterdagen gesteld.

'Ja. Ik ben weer terug tegen halftwaalf.'

'Dag dad.'

Galloway riep opeens: 'Musak!'

'Wat?'

'Ik kan niet eten.'

De biefstuk bleef evengoed sputteren in de pan.

'Ze hebben me gevraagd om een oproep op de radio te doen dat hij zich overgeeft.'

De meubelmaker keek vanuit de keuken nieuwsgierig naar hem, maar zei alleen: 'Ja.'

'Ik vond het goed. Ze hebben het opgenomen.'

Musak gaf geen commentaar.

'Ik vraag me nu af of ik er goed aan heb gedaan.'

Het regende hard. De regen kletterde op het dak. Hij ging het raam dichtdoen, want er begon zich een plas te vormen op de vloer.

'Ik was bang dat ze hem zouden doodschieten.'

'Ga hier zitten.'

Musak had zijn bestek op een servet gelegd omdat hij niet wist waar het tafellaken lag, en met twee ellebogen op tafel, tegenover Galloway, wachtte hij, zoals wanneer iemand een kind wil laten eten. 'Ik heb de hele middag naar de radio geluisterd,' bromde hij.

'Wat zeggen ze?'

'Ze herhalen ieder uur zo ongeveer hetzelfde. Ze denken nu dat de auto richting Chicago gaat. Maar er zijn ook mensen die beweren dat ze hem hebben zien rijden in zuidelijk Caroline.'

Bijna zonder er erg in te hebben was Dave gaan eten en Musak had nog maar een tweede glas whisky voor zichzelf ingeschonken. 'Een agent van de landelijke politie is de hele dag bezig geweest mensen uit het dorp te ondervragen. Hij is ook bij mij gekomen.'

'Om na te gaan of we gisteravond samen hebben doorgebracht?'

'Ja. En twee verslaggevers hebben hun intrek genomen in de Old Barn.'

Onbewust ontspande Galloway zich voor het eerst sinds die morgen. Musaks aanwezigheid kalmeerde hem. Het deed hem goed zijn stem te horen, zijn vertrouwde forse gezicht te zien.

'Neem je ook appeltaart? Die heb ik in de koelkast zien staan.'

De appeltaart hoorde ook bij het zondagmenu.

'Neem jij er niet een stukje van?'

'Ik heb al gegeten.'

Hij stak zijn pijp maar eens aan, de pijp die hij met een stukje ijzerdraad had opgelapt, en door de scherpe geur van de tabak dacht Dave even dat hij in het gele huis aan het eind van de laan was.

'Ben je van plan om te luisteren naar het nieuws van negen uur?'

Galloway knikte van ja en Musak raadpleegde zijn oude zilveren horloge dat nog nooit gerepareerd had hoeven worden.

'We hebben de tijd. Het is nog twaalf minuten.'

Toen Galloway zijn bord naar de keuken wilde brengen hield hij hem tegen.

'Dat doen we straks wel.'

Hij wees op de leunstoel, alsof hij wist dat Galloway daar altijd zat.

'Koffie?'

Zonder op antwoord te wachten ging hij koffie zetten, zwaar en zwijgend. Ook voor de rest kwam er geen geluid uit de keuken.

Dave keek op zijn horloge en werd al zenuwachtiger naarmate het moment naderde. Om vijf voor negen ging hij de radio uit Bens kamer pakken, deed de stekker in een stopcontact in de woonkamer en draaide de knop om zodat het toestel vast warm kon worden.

Musak had zelf ook koffie genomen. Ze hoorden het slot van een symfonie. Toen, na een reclameboodschap, werd het laatste nieuwsbericht van die dag aangekondigd.

Het ging niet meteen over Ben, maar eerst over een

toelichting van de president op de douanetarieven, daarna over een grensincident tussen Libanon en Palestina.

De omroeper sprak snel, met korte afgebeten zinnen, zonder pauze tussen het ene onderwerp en het volgende.

'Binnenlands nieuws: de politie van zes staten en inmiddels ook de FBI is nog steeds op zoek naar de zestienjarige moordenaar Ben Galloway. Deze is in de loop van zaterdagavond in de bestelwagen van zijn vader, samen met zijn vriendin Lillian Hawkins, die pas vijftien en een half is, vertrokken uit Everton in de staat New York. Na met een automatisch pistool ene Charles Ralston, vierenvijftig jaar oud, woonachtig te Long-Eddy bij de grens van Pennsylvania, te hebben gedood, heeft het stel de blauwe Oldsmobile van het slachtoffer meegenomen en is doorgereden in zuidwestelijke richting.'

Beide mannen bleven roerloos zitten en vermeden elkaars blik. Tegen zijn verwachting was Dave eerder ongeduldig dan ontroerd, alsof de hele gebeurtenis zoals die nu verteld werd noch hem noch zijn zoon betrof.

'De wagen met kenteken 3 M-2437 is achtereenvolgens gesignaleerd in Pennsylvania, Virginia en volgens de laatste berichten in Ohio. Het is evenwel moeilijk de route die de voortvluchtigen hebben genomen te achterhalen doordat de politie veel tegenstrijdige meldingen krijgt.' Een andere stem kwam ertussendoor.

'En nu, dames en heren, onderbreken we ons nieuwsbulletin om een oproep uit te zenden van meneer Dave Galloway voor zijn zoon.'

Het was de stem van de verslaggever die bij hem was geweest, maar Galloway had de indruk dat de tekst net iets anders was.

Er volgde een stilte, dan een geruis, en met een vreemde galm alsof ze werden uitgesproken in de holle ruimte van een kathedraal kwamen de woorden die hem vertrouwd voorkwamen maar waarvoor hij zich nu ineens schaamde.

'Ben, hier is dad... Het is beter om je maar over te geven...'

Die stiltes tussen de korte zinnetjes leken eindeloos.

'...Ja, ik geloof echt dat dat beter is... Ik ben er altijd voor je, wat er ook gebeurt...'

Je kon zijn zware ademhaling horen, alsof hij iemand toestemming vroeg om door te gaan. Hij besloot met: 'Ik ben niet kwaad op je...'

'En nu dames en heren lezen wij u het laatste weerbericht van vandaag voor...'

Hij stak zijn hand uit om de knop om te draaien. Musak zei niets. Galloway had ook geen zin iets te zeggen en hoopte nu dat Ben niet had geluisterd. Als hij ergens onderweg luisterde, zijn blik strak gericht op de lichtbundel van de koplampen, zou hij dan ook de knop al hebben omgedraaid?

'Ik dacht...' begon Dave

Hij had gedacht er goed aan te doen. Hij had zich verbeeld dat hij in contact zou komen met Ben. Hij had hen allemaal beleefd ontvangen. Hij had hun vragen beantwoord, hun sigaretten aangenomen.

Hij had zijn zoon verraden, dat realiseerde hij zich nu pas. Het leek of hij zich wilde verontschuldigen, hen wilde helpen.

Begreep Musak wat hij doormaakte? Zwijgend dronk hij een slok whisky en veegde zijn mond af. Een donderslag dreunde zo hard dat het haast niet anders kon of de bliksem was ingeslagen in een van de bomen tegenover het huis of in de toren van de katholieke kerk. Onmiddellijk volgde er nog een. Een paar minuten lang viel de regen dubbel zo hard met werkelijk oorverdovend lawaai op het dak om daarna als bij toverslag weer op te houden; ineens was het volkomen stil.

Dave had zijn hoofd een beetje op zijn borst laten zakken, maar hoe moe hij ook was, hij sliep niet, dommelde niet, bleef zichzelf maar verwijten zitten te maken. Toen hij Musak zag opstaan, lette hij daar niet op en ook het geluid van de kraan in de keuken ontging hem.

De politie van zes staten...

En die twee kinderen in de auto, angstig glurend naar alle auto's die hen inhaalden of kruisten, de donkere nacht in turend terwijl ze ieder moment verwachtten een versperring te zien opduiken.

De FBI-man had de almanak meegenomen waarin twee kruisjes Illinois en Mississippi aanwezen.

Hadden ze nog steeds hetzelfde doel terwijl ze zich op goed geluk een weg baanden langs alle valstrikken? Gingen ze net zo lang door met dit onzinnige avontuur tot ze, eenmaal voorbij een bepaalde grens, haastig naar een ambtenaar van de burgerlijke stand konden gaan om daar hijgend uit te brengen: 'Trouw ons!'

Als ze niet te veel waren omgereden konden ze nog deze nacht Illinois bereiken, misschien waren ze er al. Het was niet onwaarschijnlijk dat ze in een afgelegen dorpje een oude rechter die de hele dag geen radio gehoord had uit zijn bed belden.

Zouden ze daar in de vlaktes van de Middle West ook door zulke onweersbuien heen moeten? Hij verweet zich niet naar de weersvoorspellingen te hebben geluisterd, begon onrustig te worden, wilde dat Musak weer tegenover hem kwam zitten om hem het denken te beletten. Hij was ook onderweg, hij ook, met het monotone geluid van de ruitenwissers die de secondes leken te tellen.

De politie van zes staten... Plus de FBI.

Hij stond plotseling op om zich nog een slok whisky in te schenken, keek naar de radio en bedacht dat hij nog vijfendertig minuten moest wachten tot de uitzending van tien uur. Hij dacht zomaar dat er deze keer nieuws zou zijn.

'Je had niet hoeven afwassen, Musak.'

Musak haalde zijn schouders op, schonk zich nog eens in en ging op een stoel zitten.

'Vergeet niet dat ik meteen wegga als jij dat wilt.'

Dave schudde van nee. Hij wilde dat niet. Hij durfde er niet aan te denken hoe de avond zou zijn verlopen als Musak niet heel bescheiden dat stukje papier onder de deur door had geschoven.

'De mensen weten het niet, kunnen het niet weten,' zei Galloway als tot zichzelf.

En Musak mompelde alsof ook hij alleen maar voor zichzelf sprak: 'Toen mijn dochter wegging heb ik anderhalf jaar niets van haar gehoord.'

Het was voor het eerst dat hij een toespeling maakte op zijn eigen leven en hij deed dat ongetwijfeld om zijn vriend te steunen.

'Uiteindelijk kreeg ik bericht van een ziekenhuis in Baltimore waar ze zonder een cent was gestrand en zwanger bleek te zijn.

'Wat heb je gedaan?'

'Ik ben erheen gegaan. Ze weigerde me te zien. Ik heb geld achtergelaten bij de receptie en ben weggegaan.'

Dat was alles wat hij erover zei en Dave durfde niet te

vragen of hij haar later wel teruggezien had, ook niet of dat die dochter was die hem af en toe schreef uit Californië en hem foto's stuurde van haar kinderen.

'Ik vraag me af wat ze denken...'

Hij bedoelde nog steeds het stel in de auto.

'Iedereen denkt verschillend,' zuchtte Musak. Na een tijdje, waarin alleen het gereutel van zijn pijp was te horen, voegde hij eraan toe: 'Iedereen verbeeldt zich dat hij gelijk heeft.'

Galloway keek op zijn horloge hoe laat het was en wilde de radio alweer pakken.

'Ga toch zitten.'

'Dat kan ik nu niet. Ik heb bijna de hele dag gestaan.'

Telkens als hij ging zitten begonnen zijn benen te trillen, kroop een nerveuze angst in zijn lichaam omhoog. Hij zei ineens: 'Dokter Van Horn zal het naar vinden.'

Hij legde niet uit waarom, hoewel hij uit de blik van Musak kon opmaken dat deze niet op de hoogte was van de pistoolkwestie.

'Over enkele ogenblikken volgt ons laatste nieuwsbulletin.'

Er kwam eerst reclame.

'Zojuist vernemen wij dat de zestienjarige moordenaar Ben Galloway, wiens vader een oproep aan hem heeft gedaan tijdens onze vorige uitzending...'

Ze hielden hun adem in.

'...ongeveer op het tijdstip van die oproep met zijn vriendin heeft aangebeld bij een ambtenaar van de burgerlijke stand in Brownstown, bij de grens tussen Indiana en Illinois met het verzoek hen onmiddellijk te trouwen. De ambtenaar die toevallig vlak daarvoor het signalement van het stel op de radio had gehoord verliet het vertrek met het voorwendsel de benodigde papieren te halen en is meteen gaan bellen. Voor hij verbinding kreeg met de sheriff hoorde hij het geluid van een motor, waaruit hij opmaakte dat de jongelui zijn bedoeling waarschijnlijk doorzien hadden en ervandoor gingen. Hoe dan ook, dit beperkt aanzienlijk het opsporingsgebied. Het geeft ook aan dat de blauwe Oldsmobile de afgelopen vierentwintig uur veel verder is gekomen dan iedereen tot nu toe had gedacht en dat Ben Galloway bijna onafgebroken achter het stuur heeft gezeten. De politie van Illinois bewaakt alle verkeersknooppunten en de arrestatie is op zeer korte termijn te verwachten.'

Had Musak het gemerkt? Op een gegeven moment tijdens de uitzending had Galloway het niet kunnen helpen dat een vage, nauwelijks merkbare glimlach op zijn lippen kwam. Het was niet uit voldoening, noch uit spot. Het betekende eigenlijk niets in het bijzonder. Alleen een soort contact met Ben, daarginds. Hij sloot zijn ogen om dat gevoel terug te halen, maar het was al voorbij, ijl en ongrijpbaar, als een zuchtje wind.

Wat overbleef waren twee mannen in hun leunstoel.

Hoofdstuk 6

Die nacht leek een beetje op een in de trein doorgebrachte nacht, waarbij men nu eens dommelt, dan weer overmand wordt door slaap, maar zich toch bewust blijft van het ritmische geluid van de wielen, de stations waar gestopt wordt met luid gesis van stoom, de man met de lantaarn die met zijn hamer tegen de assen slaat terwijl onbekende stemmen elkaar toeroepen van het ene naar het andere perron.

Toen Musak bijvoorbeeld zijn schouder aanraakte wist hij dat hij in zijn leunstoel zat en niet in zijn bed lag en voor het nieuws van middernacht werd gewekt. Hij vroeg zich af of Musak ook was ingedommeld, durfde hem die vraag niet te stellen, wreef zijn ogen uit, zag dat er heel wat minder whisky over was in de fles. De lampen van de radio werden al warm, er kwamen stemmen uit de stilte, ze werden zo doordringend dat hij het toestel zachter moest zetten.

Het was het einde van een hoorspel. Een vrouw en een man besloten zo goed en zo kwaad als het ging weer samen wat van hun leven te maken. Hij had geen erg in de reclame.

'Dames en heren, zoals wij een kwartier geleden in een extra uitzending al hebben aangekondigd...'

Musak noch hij had eraan gedacht dat er een extra uitzending kon komen en ze hadden de radio alleen aangezet op de gewone tijden.

'...de jacht op de zestienjarige moordenaar, Ben Galloway, die al bijna vierentwintig uur duurde, is vanavond eindelijk kort voor elf uur tot een einde gekomen in een boerderij in Indiana, waar het voortvluchtige stel onder bedreiging van een pistool een schuilplaats had gezocht. Er zijn schoten gewisseld met de politie en een politieagent is door een kogel in zijn heup getroffen. Ben Galloway en zijn vriendin van vijftien en een half, Lillian Hawkins, beiden ongedeerd, zijn naar Indianapolis gebracht. Nadere bijzonderheden kunt u lezen in uw ochtendkrant.'

Was Musak misschien een beetje verbaasd door de reactie van zijn vriend? Galloway slaakte een zucht die op een zucht van verlichting leek, zijn zenuwen ontspanden zich op slag en hij stond op, wreef zijn ogen uit terwijl hij vol weerzin rondkeek, alsof de stemming waarin hij sinds vanochtend was verzand hem ineens tegenstond.

Het was afgelopen. Hij hoefde niet meer te wachten, in onzekerheid te zitten. Het eerste dat nu in hem opkwam was dat hij voordat hij wegging een bad moest nemen en zich scheren, want hij had de indruk naar zweet te stinken.

'Ik ga naar de winkel om het vliegveld te bellen,' kondigde hij aan.

Dat leek hem het meest voor de hand te liggen. Hij ging naar Ben, zou met hem praten. Ben zou alles uitleggen, hem de hele waarheid vertellen, want voor zover hij wist had zijn zoon nog nooit tegen hem gelogen.

Het ergerde hem dat Musak mee naar beneden ging. Hij had niemand meer nodig. Alles was nu heel eenvoudig; hij nam het eerste vliegtuig naar Indianapolis en hij zou Ben zien.

In de juwelierswinkel pakte Musak als eerste de hoorn van de haak terwijl hij zei: 'Het is beter als ik bel.'

Hij begreep niet waarom. Toen hij vervolgens naar de lege haakjes keek bedacht hij dat als hij een paar dagen weg was, er ongetwijfeld klanten zouden komen om hun horloge op te halen. Niets aan te doen. Dat moesten ze maar begrijpen.

'Hoe laat, zegt u, juffrouw?... Zeventien over zes?... Wilt u een plaats reserveren op naam van Musak? Frank Musak...

Nu wist Dave waarom zijn vriend per se wilde bellen: om hem een nieuwe bestorming van verslaggevers en fotografen op het vliegveld te besparen.

'Dank u wel... Nee... Geen retourtje...'

Musak overlegde niet met hem. Even later stond hij weer buiten met hem. De maan was opgekomen. Lage wolken, in het midden donker en lichter aan de rand, gleden voorbij als over rustig water. Luisterend naar de stilte bleven ze twee of drie minuten lang zonder iets te zeggen op de stoep staan waar de regen op sommige plekken al was opgedroogd.

'We kunnen nu net zo goed mijn auto gaan halen.'

Dat begreep hij dus ook. Dave had zijn bestelwagen niet, want die stond nog bij de politie. Musak was van plan hem naar La Guardia te brengen. Hij protesteerde niet en beiden liepen de Main Street in, die uitgestorven was. Er brandde geen licht meer bij de Old Barn waar twee van de verslaggevers de nacht doorbrachten.

Toen ze bij de laan kwamen roken ze de lekkere geur van gras na een regenbui.

'Ik haal de auto,' zei Musak terwijl hij naar zijn garage liep.

Ben zou zich daarginds vast ook ontspannen. Als ze hem nu maar lieten slapen! Hij had altijd veel slaap nodig en als zijn vader hem 's morgens wekte duurde het altijd lang voor hij helemaal wakker was; soms botste hij tegen de deurpost aan als hij op zijn blote voeten naar de badkamer ging, omdat hij zijn ogen nog niet goed open had.

Op dat tijdstip was hij altijd mopperig. Hij moest eerst in bad zijn geweest en aan tafel zijn gaan zitten om te ontbijten voor hij weer in zijn normale doen was.

Dit was de eerste keer dat Galloway in de auto van Musak stapte en hij rook meteen dezelfde geur als in het huis van de meubelmaker.

'Het is nog geen twee uur hiervandaan naar La Guardia. Als we een half uur rekenen om je aan te kleden en wat te eten, kun je nog bijna drie uur slapen.'

Hij wilde eigenlijk protesteren, maar zijn oogleden zakten al dicht en hij kon met moeite zijn hoofd rechtop houden. Het had niet veel gescheeld of hij was in de auto in slaap gevallen.

Hij vroeg zich af of Musak van plan was zelf in het bed van Ben te gaan slapen. Dat zou hij vervelend hebben gevonden. Maar terug in de woning maakte Musak geen aanstalten zich uit te kleden, installeerde zich kennelijk voor de rest van de nacht op de bank.

Dave ging zich uitkleden en voelde zich enigszins gegeneerd zich in pyjama te vertonen.

'Maak je me op z'n laatst om kwart over drie wakker?'

'Laten we zeggen halfvier,' zei Musak terwijl hij uit voorzorg de wekker zette. 'Ga nou maar slapen.'

Twee minuten later was Dave diep in slaap maar hij zou hebben gezworen dat hij zich de hele tijd bewust was geweest van de aanwezigheid van zijn vriend die een boek had gepakt en zijn pijp rookte terwijl hij whisky dronk. Hij vergat evenmin dat hij het vliegtuig vanaf La Guardia om zeventien over zes moest nemen, en ook niet dat het ticket op naam van Musak stond. Twee of drie keer draaide hij zich helemaal om alsof hij nog dieper in zijn matras kon wegduiken, en toen hij opnieuw op zijn schouder werd getikt, zat hij meteen rechtop. Hij had de wekker niet gehoord. Het huis rook naar verse koffie.

'Ga maar in bad.'

Hij was nog nooit op dat tijdstip opgestaan, behalve als Ben ziek was, met name die keer dat hij een zware angina had en hij hem iedere twee uur zijn medicijnen moest geven. Op een bepaald ogenblik tijdens de tweede helft van de nacht had hij zijn vader verschrikt aangekeken en geschreeuwd: 'Wat wil je?'

'Het is tijd voor je tabletje, Ben.'

Hoorde hij het? Begreep hij het? Met gefronste wenkbrauwen en rimpels in zijn voorhoofd zat hij naar zijn vader te kijken alsof hij hem voor het eerst zag, en zijn ogen stonden hard.

'Kun je me niet met rust laten?' zei hij met een door de koorts gezwollen tong.

Dave meende iets van wrok te bespeuren. Ben had zijn tabletje ingenomen, een slok water gedronken, was weer ingeslapen en toen zijn vader er 's morgens over sprak leek hij het zich niet te herinneren. Toch was Galloway er nooit helemaal zeker van geweest dat zijn zoon op dat ogenblik niet helemaal bij zinnen was geweest. Hij dacht daar maar liever niet aan. In hun leven waren er drie of vier van zulke voorvallen geweest die hij maar liever vergat.

Hij was te gevoelig, besteedde te veel aandacht aan zelfs de geringste reacties van Ben. Alle kinderen hebben net als volwassenen af en toe een slecht humeur, koesteren soms zelfs gevoelens van wrok.

De geur van gebakken spek drong tot de badkamer door en in huis rook het nu net als alle andere ochtenden. Hij schoor zich zorgvuldig, koos zijn beste kleren alsof dat van belang was. Ben zag graag dat hij goed gekleed was. Toen ze net in Everton woonden droeg Dave staalgrijze stofjassen tijdens zijn werk in plaats van de beige exemplaren die hij was gaan dragen toen zijn zoon hem een keer had gezegd: 'Je ziet eruit als een oude, zieke man.'

Op dat punt was hij misschien wel het gevoeligst. Hij had er geen vrede mee als hij oud leek in de ogen van zijn zoon. Als die erbij was deed hij minder aardig tegen de klanten omdat hij niet onderdanig wilde lijken.

'Een beetje uitgerust?'

'Je hebt er een hoop werk van gemaakt,' merkte hij op terwijl hij naar de gedekte tafel keek, de gebakken eieren met spek op een groot bord, het brood in de broodrooster.

Hij wist dat Musak dat met plezier voor hem had gedaan, zoals voor hemzelf gold bij alles wat hij voor zijn zoon deed.

Het was volkomen stil in het dorp en toen ze wegreden schaamden ze zich haast voor het lawaai dat ze maakten.

'Ben je al eens in Indianapolis geweest? vroeg Musak toen ze de snelweg bereikten.

'Nog nooit.'

'Ik wel.'

Hij zei verder niets, liet zijn vriend dommelen, bleef

werktuiglijk aan zijn pijp trekken, die uit was maar die hij toch in zijn mond hield en dus de vertrouwde geluiden maakte. Op het vliegveld moesten ze bijna een half uur wachten. In de krantenkiosken stond op alle voorpagina's: EEN MOORDENAAR VAN ZESTIEN JAAR.

Vanwege de zondag hadden de kranten nog niet de gebeurtenissen van de vorige avond kunnen meenemen. Galloway fronste zijn wenkbrauwen toen hij de nauwelijks herkenbare foto van zijn zoon zag. Ben leek jonger, met een vreemde vage blik en een soort grijns rond zijn mondhoeken. Hij moest hem van dichtbij bekijken om erachter te komen dat zijn hoofd was uitgeknipt uit een groepsfoto van de middelbare school. Een van de vriendjes van Ben had die ongetwijfeld aan de verslaggevers gegeven.

Er stond ook een foto in van Lillian waarop ze niet ouder dan twaalf leek. Het onderschrift vermeldde: *Een mensenjacht van 24 uur eindigt met een schietpartij op een boerderij in Indiana.*

Hij kocht drie verschillende kranten terwijl Musak met een ontevreden gezicht zwijgend toekeek. Op de middenpagina stond de foto van hemzelf voor het bed van Ben waarvan slechts een gedeelte was te zien en een andere waarop hij net deed of hij aan een horloge zat te werken in zijn winkel.

Wat was alles grijs en triest. Mensen zaten te slapen op de banken. Anderen hadden hun ogen open, keken somber voor zich uit. Een man en vrouw omhelsden elkaar, de vrouw huilde, klampte zich aan haar metgezel vast alsof ze elkaar voor altijd verlieten.

Zijn vliegtuig werd omgeroepen. Hij liep naar de gate die was omgeroepen via de luidspreker en niemand leek op hem te letten. Een employé noemde de namen van de reizigers op.

'Musak,' mompelde hij in het voorbijgaan.

Hij had de meubelmaker de hand gedrukt, waarbij hij alleen maar zei: 'Dank je wel. Nu zal alles verder wel goed gaan.'

Daar was hij van overtuigd. Hij bladerde de kranten pas door toen ze de veiligheidsriemen los mochten maken en hij las als eerste de laatste alinea's die over de gebeurtenissen op de boerderij gingen.

Terwijl de politie van Illinois de voortvluchtigen opwachtte op alle kruispunten, waren deze omgekeerd en weer Indiana ingereden. Was Ben Galloway na drieëntwintig uur rijden aan het eind van zijn krachten of durfde hij niet meer te gaan tanken? In ieder geval stopte de auto even later voor een afgelegen boerderij, zo'n dertig kilometer vanaf de grens.

Het was ongeveer tien uur 's avonds. De boer, Hans Putman, een vijftiger, was nog op, evenals zijn vrouw, en beiden bevonden zich in een kamer op de begane grond.

Toen Putman ging opendoen omdat er op de deur geklopt werd, stond hij tegenover Galloway, die zijn pistool op hem richtte en het meisje opdroeg: 'Snij de telefoondraden door.'

Hij was zichtbaar uitgeput. Zijn handen trilden van vermoeidheid.

'Geef ons te eten en laat niemand proberen het huis uit te gaan.'

Op datzelfde moment fietste de zoon van het echtpaar Putman, die op de eerste verdieping was toen de auto kwam en via de achterdeur naar buiten was geglipt, al naar het dichtstbijzijnde huis zodat de sheriff tien minuten later was gewaarschuwd en binnen de kortste keren drie politieauto's van verschillende kanten naar de boerderij reden.

Andere passagiers lazen hetzelfde artikel als hij en hadden zijn foto gezien, maar niemand scheen hem te herkennen.

Toen het huis was omsingeld, zijn de sheriff en een van zijn mannen naar de deur gelopen en wat er toen is gebeurd, is nog onduidelijk. Galloway en zijn vriendin hebben zo goed als zeker geprobeerd te vluchten via de binnenplaats. Het onderzoek moet nog vaststellen wie het eerste heeft geschoten. Er ontstond een vuurgevecht en een van de politiemannen is door een kogel in zijn heup geraakt.

Uiteindelijk heeft de jongen met zijn handen als een toeter voor zijn mond geroepen: 'Niet meer schieten, ik geef me over.'

Zijn pistool was leeg.

Tijdens zijn overbrenging naar Jasonville, waar hij zou worden overgedragen aan de FBI die hem naar Indianapolis zou brengen, heeft hij totaal geen spijt over zijn daden getoond.

'Zonder die leeftijdgenoot zouden jullie me niet te pakken hebben gekregen!' was zijn opmerking, waarbij hij doelde op de zoon van Putman die inderdaad ook zestien jaar is.

Ten slotte is hij in de wagen in slaap gevallen terwijl zijn vriendin haar ogen wijd open hield alsof ze over hem wilde waken.

Dat was waarschijnlijk niet helemaal waar, want het is onmogelijk het hele doen en laten van iemand precies weer te geven. De woorden van Ben waren echter vast waarheidsgetrouw: 'Zonder die leeftijdsgenoot...'

En dat gold misschien ook voor het feit dat Lillian Hawkins wakker was gebleven om over hem te waken. Die opmerking verontrustte Galloway, maakte hem chagrijnig. Zonder het uit te kunnen leggen leken de zaken vanwege haar minder eenvoudig te zullen gaan dan hij had gedacht.

Hij sliep lichter dan thuis, werd drie of vier keer even wakker. Een keer zag hij een vrouw met een baby op haar arm die intens naar hem keek. Op de stoel naast haar lag een opengeslagen krant. Ze had hem vast herkend. Toen hij haar blik niet ontweek en onwillekeurig even naar het kind keek rilde zij alsof ze zich in gedachte God weet wat in haar hoofd haalde en klemde de baby steviger tegen zich aan.

Toen hij alleen met hem achterbleef was Ben niet veel ouder dan die baby. Galloway had eigenlijk niet geleden onder het vertrek van zijn vrouw. Je zou haast zeggen dat hij dat altijd al verwacht had. Misschien was het na de eerste schok zelfs wel een opluchting geweest dat zij uit hun leven was verdwenen.

Hij dacht niet graag terug aan Ruth of aan die tijd. Tot zijn vijfentwintigste was hij nooit op het idee gekomen te trouwen en hij beperkte zijn contact met vrouwen tot het hoogst noodzakelijke: hij was ruim twintig toen hij zijn eerste seksuele ervaringen met een vrouw opdeed.

Ruth werkte in Waterbury op dezelfde fabriek als hij. Hij wist dat ze bijna elke avond met de een of de ander uitging en in kroegen rondhing waar ze na twee glaasjes luidruchtig en vulgair werd.

Zij was nog geen twintig, maar ze was weggegaan van de boerderij van haar ouders in Ohio toen ze nauwelijks zestien jaar was en had in New York, in Albany en wellicht nog ergens anders gewoond voordat ze God weet hoe in Waterbury terechtkwam.

Ze hield zich niet bezig met haar toekomst en ook

niet met wat de mensen over haar dachten. Maandenlang had hij haar gadegeslagen, ervan overtuigd dat zij een soort minachting voor hem koesterde, omdat hij geen uitgaanstype zoals die anderen was. Zij trok hem aan en schrikte hem tegelijkertijd af. Ze had iets van een vrouwtjesdier en alleen al het draaien van haar heupen bracht hem in verwarring.

Op een avond kwam hij uit de fabriek en ging naar de bushalte. Onbeweeglijk stond zij naast hem op het trottoir te wachten.

Hij was er nooit achtergekomen of ze hem had opgewacht.

'Ben je bang voor me?' vroeg ze hem toen hij verlegen naar haar keek.

Hij antwoordde van niet. Ze had een hese stem, ging altijd heel dicht bij de mannen staan met wie ze sprak.

'Wacht je op iemand?'

Ze lachte alsof hij iets grappigs had gezegd en hij wilde al een stukje verderop gaan staan omdat hij begon te blozen. Zelfs nu wist hij nog niet wat hem had weerhouden.

'Wat is er zo grappig aan mij?'

'De manier waarop je naar me kijkt.'

'Zullen we samen gaan eten?'

Eigenlijk wilde hij dat al een hele tijd, maar tot dan toe had hij niet gedacht dat dat mogelijk zou zijn. De hele avond voelde hij zich opgelaten over de manier waarop ze zich gedroeg, eerst in het restaurant, daarna in de twee of drie bars waar zij hem mee naar toe had genomen en waar zij ten slotte pure whisky dronk.

Hij had bij haar kunnen blijven slapen. Ze was verbaasd geweest toen hij haar bij de deur van haar huis had afgezet. De volgende dag op de fabriek had zij hem de hele dag in het oog gehouden alsof ze het probeerde te begrijpen, en hij had koel tegen haar gedaan.

Een week lang had hij bijna geen woord tegen haar gezegd maar toen hij haar op een avond zag instappen in de auto van een kameraad had het minstens twee uur geduurd voordat hij kon inslapen. De volgende morgen vroeg hij haar meteen: 'Ben je vanavond vrij?'

'Goh! Wil je weer wat met me?'

Hij had haar op zo'n manier aangestaard dat ze er onder de indruk van was geraakt.

'Als je dat per se wilt, kun je bij de uitgang op me wachten.'

Ze hadden hetzelfde programma gevolgd als de eerste keer. Hij had zich ellendig gevoeld en expres meer gedronken dan normaal. Voor haar deur, op het moment dat hij wegging, had hij gezegd, terwijl hij haar op dezelfde harde, onaangename manier aankeek als die morgen: 'Wil je met me trouwen?'

'Ik?'

Ze lachte, hield op met lachen, bekeek hem nog aandachtiger en op haar gezicht stond verbazing en iets van onzekerheid te lezen.

'Hoe kom je daar nu bij? Zeker door de whisky?'

'Je weet best dat dat niet zo is.'

En dat wist ze inderdaad.

'We hebben het er een andere keer nog over,' mompelde ze terwijl ze zich omdraaide naar de deur.

Hij greep haar bij de pols.

'Nee, vanavond.'

Ze had hem niet mee naar binnen gevraagd. Ze was echt bang voor hem.

'Laten we een eindje lopen!'

Bijna twee uur lang hadden ze op het trottoir heen en weer gelopen tussen dezelfde lantaarnpalen en ze gaven elkaar geen arm, stonden niet stil om elkaar te zoenen.

'Waarom wil je met me trouwen?'

Koppig antwoordde hij: 'Daarom!'

'En als je op een andere manier kunt krijgen wat je wilt?'

'Dan zou ik nog met je trouwen.'

'Je bent niet het type man om samen te leven met een vrouw als ik.'

Waarom dacht hij in zijn halfslaap plotseling aan haar, nadat hij vlak daarvoor een kind in de armen van zijn moeder had gezien? Jarenlang had hij die herinnering weggestopt.

'Denk je soms dat je gelukkig wordt met mij?'

Hij had geen antwoord gegeven. Het ging niet om geluk. Hij had er zelf geen verklaring voor en bovendien was het iets wat te vaag was om het te kunnen verwoorden. Het enige dat telde was dat zijn besluit vaststond en dat hij zich daaraan hield.

'Zeg je ja?'

'Je krijgt morgen antwoord.'

'Nee. Nu meteen.'

Hij was twee weken daarna met haar getrouwd zonder voor die tijd met haar naar bed te zijn geweest en van de ene op de andere dag had hij haar verboden om te werken.

Het was de moeder van Ben. Twintig maanden later was ze zomaar op een avond vertrokken, kennelijk zonder de behoefte het kind mee te nemen. Hij had haar niet kwalijk genomen dat ze was vertrokken. Die eerste nacht in het lege huis had hij wel teleurstelling gevoeld, alsof hij gefaald had. Hij wist wat hij daarmee bedoelde. Die mislukking zou vroeg of laat gekomen zijn, omdat dat terugging op iets uit het verre verleden, op dingen die hij al in zich had toen hij nog een kind was.

Dat ging niemand iets aan. Hij hoefde er niet meer bij stil te staan. Hij had Ben nog en dat was het enige dat telde.

Ooit, veel later, wanneer Ben echt volwassen was, zouden ze er misschien samen over kunnen praten en zou Dave hem de waarheid vertellen.

De gedachte dat er misschien helemaal geen later zou zijn, dat zijn zoon niet de tijd zou krijgen volwassen te worden, kwam niet bij hem op, en in Indianapolis was hij bijna rechtstreeks naar het Paleis van Justitie gesneld zonder eerst zijn koffer naar een hotel te brengen. Hij bedacht zich onderweg in de taxi.

'Zet u me maar af bij een of ander hotel.'

'In het centrum?'

'Zo dicht mogelijk bij het Paleis van Justitie.'

Nu hij zo dicht bij zijn zoon was, nam een koortsachtige nervositeit bezit van hem. Hij zag een immens plein met stenen gebouwen eromheen, herkende een gebouw dat het Capitool moest zijn en even verderop het postkantoor met door witte zuilen gedragen kapitelen.

De taxichauffeur klapte zijn vlaggetje omlaag voor een luxueus uitziend hotel.

'Ik wil graag dat u op me wacht.'

'Het Paleis van Justitie is daar!' was het antwoord terwijl hem een gebouw werd gewezen.

Hij ging de draaideur door achter een hotelbediende die zijn koffer droeg en hem naar de receptie bracht.

'Hebt u telefonisch gereserveerd?'

'Nee. Ik wil graag een kamer.'

Hij kreeg een paar formulieren toegeschoven en schreef er zijn eigen naam op, die de receptionist vanaf de andere kant meelas. Misschien wisten ze onmiddellijk wat hij daar kwam doen, ze vroegen hem niet hoe lang hij dacht te blijven.

'Breng meneer Galloway naar 662.'

Hij had geen zin om naar zijn kamer te gaan, maar durfde er niet tegenin te gaan. Omdat hij nu toch boven was profiteerde hij er maar van om zijn handen te wassen, zijn gezicht op te frissen en een kam door zijn haren te halen.

Hij hoopte maar dat ze Ben niet meteen waren gaan ondervragen en dat ze hem hadden laten slapen. Had hij zich mogen wassen en schone kleren kunnen aantrekken?

Toen hij door de hal liep volgden verschillende mensen hem met hun ogen.

Dat deed hem niets; hij trok zich niets van anderen aan.

Het was tien uur 's morgens. In het Paleis liepen advocaten, rechters en deurwaarders van de ene deur naar de andere, dossiers in de hand, een en al bedrijvigheid, en omdat hij zich plotseling verloren voelde klampte hij iemand in uniform aan die bij de deur stond.

'Weet u of Ben Galloway in het gebouw is?'

'Wie?'

'Ben Galloway, de jongen die ...'

'O, ja!'

De man keek hem aandachtiger aan. Hij had ongetwijfeld zijn foto in de krant gezien.

'Hij is niet hier,' zei hij toen op een heel andere toon.

‘Ik weet wel dat de heren vanmorgen besprekingen hebben gevoerd in het kantoor van de openbare aanklager. Er zijn al drie of vier keer verslaggevers langs geweest. Als u het mij vraagt hebt u de meeste kans hem te vinden bij de FBI.

‘Waar zijn de kantoren van de FBI?’

‘In het Federal Building, boven het postkantoor. Weet u waar het postkantoor is?’

‘Ik heb het gezien toen ik erlangs liep.’

Sommige mensen stonden stil om naar hem te kijken. Het leek erop dat iemand van plan was op hem af te stappen om iets tegen hem te zeggen, maar op het laatste moment van gedachte veranderde. Dat was vast een officieel persoon, misschien iemand van het Openbaar Ministerie of een advocaat die hem zijn diensten wilde aanbieden.

De zon was verblindend, het was al warm, de vrouwen droegen dunne jurkjes en veel mannen hadden al hun strohoed op. Hij liep snel. Binnen enkele minuten zou hij het weten, misschien bij Ben zijn.

De Federal Building was ruim met brede marmeren gangen, mahoniehouten deuren met koperen cijfers erop. Hij klopte aan op de deur die hem was aangewezen. Er werd geroepen dat hij binnen kon komen en een vrouw op leeftijd met grijze haren stopte even met typen.

‘U wenst?’

‘Mijn zoon bezoeken. Ik ben Dave Galloway, de vader van Ben.’

Het was niet de zin die hij had voorbereid. Hij ging recht op zijn doel af, keek naar de half openstaande deur links, naar een andere rechts die dicht was.

‘Gaat u zitten.’

‘Kunt u mij vertellen of mijn zoon hier is?’

Zonder antwoord te geven pakte ze de hoorn van de haak en zei: 'Meneer Galloway zit in de wachtkamer.' Ze luisterde op haar beurt en beantwoordde de zinnen van de ander met: 'Ja... Ja... Goed... Dat snap ik...

Hij had haar onwillekeurig gehoorzaamd toen zij hem had gezegd te gaan zitten, maar hij sprong alweer overeind.

'Kan ik naar hem toe?

'De inspecteur is momenteel bezig. Hij komt zo dadelijk naar u toe.'

'Mag u me zeggen of mijn zoon hier is, ja of nee?'

In verlegenheid gebracht mompelde ze, terwijl ze weer ging typen: 'Ik heb verder geen instructies gekregen.'

De zonwering was naar beneden, liet regelmatige strepen zonlicht door die weerkaatst werden op de muren en het plafond. Een ventilator draaide bijna geluidloos in het rond.

Gelaten bleef hij zitten, zijn hoed op zijn knieën, zijn ogen volgden de wagen van de typemachine, daarna de secondewijzer van de in de wand ingebouwde elektrische klok.

Een tamelijk jonge man kwam uit het kantoor links, papieren in zijn hand, wierp een blik op hem, fronste zijn wenkbrauwen, keek nog een keer, maar nu aandachtiger terwijl hij ondertussen de metalen laden van een archiefkast opentrok. Toen hij had gevonden wat hij zocht en een paar aantekeningen had gemaakt op een document, boog hij zich naar de secretaresse en sprak heel zacht met haar.

Het ging over Galloway. Maar ze richtten zich niet tot hem en de man verdween weer door dezelfde deur als waar hij was binnengekomen.

Dave luisterde geconcentreerd naar de geluiden. Buiten het getik op de machine hoorde hij alleen maar geloop in de brede gang, nu en dan werd ergens op een deur geklopt. De telefoon ging, de vrouw antwoordde: 'Een ogenblikje, alstublieft.'

Ze drukte op een paar knoppen: 'Albany voor u.'

Bijna was hij weer opgestaan. Albany, dat ging vast over Ben. Terwijl hij machteloos in een wachtkamer zat, zaten zij het lot van zijn zoon te bespreken!

Dit had hij niet voorzien, dat hij niet alleen Ben niet meteen te spreken zou krijgen, maar dat hij niemand, wie dan ook, te spreken kreeg die hem meer kon vertellen.

Een half uur ging voorbij, het langste en moeilijkste van zijn leven. De telefoon ging nog twee keer, er werden berichten doorgegeven aan de geheimzinnige inspecteur die zich in een van de kantoren ophield, buiten ieders gezichtsveld. Eén keer zei de vrouw zonder omhaal: 'De gouverneur.'

Hij kon nog begrijpen dat ze hem niet onmiddellijk konden ontvangen. Maar ze konden toch tenminste vertellen of Ben wel of niet hier was. Hij was zijn vader. Hij had er recht op hem te zien, met hem te praten.

'Luister eens, mevrouw...'

'Nog even geduld, meneer Galloway. Het duurt niet lang meer.'

Zij wist wel wat er allemaal gebeurde! Hij probeerde er naar te raden door naar haar gezichtsuitdrukking te kijken, maar ze lette niet op hem, typte razendsnel verder.

Op een gegeven ogenblik ging er vlakbij in de gang een deur open, misschien wel de deur meteen ernaast, en als hij op zijn intuïtie was afgegaan, was hij erheen gehold om te kijken. Hij durfde niet, te zeer onder de indruk, bang voor een terechtwijzing van de dame met het grijze haar. Bijna meteen ging de rechterdeur, die steeds dicht was gebleven, open. Een man van ongeveer zijn eigen leeftijd verscheen in de deuropening, richtte zich tot hem.

'Komt u verder, meneer Galloway?'

Hij zag dezelfde zonweringen voor de ramen, dezelfde trillende weerkaatsing van de zon op de lichte muren. De man wees op een stoel, ging zelf achter een groot metalen bureau zitten, waarop Dave een ingelijste foto zag van een vrouw en twee kinderen.

Hij opende zijn mond om de vraag te stellen waarop hij eindelijk antwoord zou krijgen, toen de ander als eerste sprak, op kalme, enigszins koele toon, waarin hij toch wel wat sympathie of medelijden bespeurde.

'Ik veronderstel dat u met het eerste het beste vliegtuig bent gekomen?'

'Ja, ik...

'Kijk eens, u had beter niet kunnen vertrekken voordat u iets van ons had gehoord. U hebt de reis helaas voor niets gemaakt.'

Hij voelde zijn ledematen verstijven.

'Is mijn zoon niet hier?'

'Hij wordt in de loop van de dag naar New York gebracht en vandaar naar Liberty.'

Dave begreep het niet, keek de ander gespannen aan.

'De eerste moord, begaan in de staat New York, is belangrijker dan de geweldpleging die hier heeft plaatsgevonden. We moesten eerst weten of uw zoon eerst in Indiana zou worden vervolgd omdat hij op de politie heeft geschoten en een agent heeft verwond of dat hij rechtstreeks in de staat New York zal worden veroordeeld. De gouverneurs van beide staten hebben vanmorgen telefonisch contact gehad en hebben hierover een akkoord bereikt.'

'Is hij nog niet weg?' protesteerde hij.

De man keek op een klok die identiek was aan die in de wachtkamer.

'Nee. Momenteel zitten ze waarschijnlijk te eten.'

'Waar?'

'Dat kan ik u helaas niet vertellen, meneer Galloway. Om alle onnodige publiciteit en eventuele incidenten te voorkomen hebben wij ervoor gezorgd dat zelfs de verslaggevers niet weten dat ze de nacht hier hebben doorgebracht en staan die bij de gevangenispoort te wachten.

'Was Ben hier?'

Met zijn wijsvinger wees hij het vertrek aan waar ze zaten en de ander knikte van ja.

'Hij was er nog toen ik aankwam, hè?'

De inspecteur knikte weer.

'En ze hebben mij expres in de wachtkamer laten zitten, zodat ik hem niet kon zien?' schreeuwde hij ten slotte onbeheerst uit.

'Rustig, meneer Galloway. Het ligt niet aan mij dat u niet bij uw zoon bent geweest.'

'Aan wie dan?'

'Hij heeft zelf geweigerd u te zien.'

Hoofdstuk 7

'Ik ben toch echt bang, meneer Galloway, dat wij allen, zoals we hier zitten, wel de laatsten zijn die weten wat onze kinderen bezighoudt.'

Terwijl hij dit zei stopte de inspecteur langzaam en zorgvuldig zijn pijp, en alsof hij wilde benadrukken dat hijzelf daarop geen uitzondering vormde, liet hij zijn blik even rusten op de foto op zijn bureau.

Dave ging er niet tegenin, want hij had zijn hele leven al een blindelings respect gehad voor iedere vertegenwoordiger van de overheid. Wat de inspecteur zojuist zei was trouwens waarschijnlijk waar voor bepaalde vaders, voor gewone vaders, maar het gold niet voor hem.

Wat had het voor nut hun leven, dat van Ben en hem, uit te leggen, de aard van hun relatie, die meer was dan de relatie van een vader met zijn zoon?

'Ik weet niet,' vervolgde de ander achteroverleunend, 'wat er over hem wordt besloten. Onze rol hier is afgelopen. Ik veronderstel dat zijn advocaat, en anders wel het Openbaar Ministerie, een verzoek zal doen tot een onderzoek door een of meerdere psychiaters.'

Galloway kon nauwelijks een glimlach onderdrukken, zo belachelijk vond hij het te denken dat Ben misschien niet helemaal bij zijn verstand was. Als hij niet normaal was, dan was zijn vader het evenmin. Dave kon toch geen drieënveertig jaar zijn geworden zonder dat iemand dat zou hebben gemerkt.

'Ik heb hem vanaf middernacht tot enkele minuten geleden hier gehad en ik beken u dat ik niet in staat ben om me een mening over hem te vormen.'

'Ben uit zich niet gemakkelijk,' haastte zijn vader zich te zeggen.

De inspecteur scheen verbaasd.

'In ieder geval,' antwoordde hij scherp, 'gaf hij absoluut geen blijk van verlegenheid, als u dat soms bedoelt. Ik heb zelden iemand van hoe oud ook gezien die zo op zijn gemak was onder dergelijke omstandigheden. Ze zijn samen naar mijn kantoor gebracht, hij en zijn vriendinnetje, en ik zou gezworen hebben dat ze blij waren hier te zijn, alsof ze ondanks alles hun doel hadden bereikt. Toen hun handboeien werden afgedaan liepen ze op elkaar af en hielden elkaars hand vast. Hoe vuil en vermoeid ze ook waren, hun ogen stonden helder. Ze stonden elkaar stralend aan te kijken alsof ze een wonderbaarlijk geheim met elkaar deelden. Ik zei tegen ze: "Gaan jullie maar zitten." En uw zoon antwoordde ongegeneerd: "We hebben al genoeg gezeten tijdens onze reis!"

Ik durf er een eed op te doen dat hij me daarbij ironisch aankeek.

"Gaan jullie me nu onderwerpen aan een derdegraads verhoor?" zei hij me met een glimlach die ondanks alles een beetje nerveus aandeed. "Als jullie een bekentenis willen, ik beken alles, de moord op die oude vent onderweg, de autodiefstal, de bedreiging van die boer en zijn vrouw en het schieten op de politie. Ik word toch nergens anders van beschuldigd, mag ik aannemen?"

"Ik denk er niet aan jullie nu te verhoren, jullie vallen

om van de slaap," heb ik daarop geantwoord. Dat leek hem enigszins van zijn stuk te brengen, alsof ik me niet aan de spelregels hield.

"Ik kom heus de nacht nog wel door als het moet. En wat Lillian aangaat, u kunt haar laten gaan. Zij heeft niets gedaan. Ze was niet op de hoogte van mijn plannen. Ik heb haar alleen verteld dat we naar Illinois of Mississippi gingen om te trouwen en ze wist niet dat ik gewapend was."

Het meisje onderbrak hem toen: "Dat is niet waar!"

"U moet mij geloven, inspecteur. Toen we de boerderij verlieten drong zij erop aan dat ik me zou overgeven zonder te schieten."

"Hij liegt. Wat we gedaan hebben, deden we alle twee. De ambtenaar in Illinois heeft ons niet getrouwd maar sinds vanavond ben ik toch zijn vrouw."'

Galloway klapte helemaal dicht en liet niets meer van zijn gevoelens blijken.

'Ik dacht zowaar dat ze samen ruzie gingen maken en ik heb ze naar bed gestuurd. Uw zoon heeft op een veldbedje in het kantoor hiernaast geslapen en Lillian Hawkins heeft onder vrouwelijke bewaking de nacht in een ander kantoor doorgebracht. Het meisje heeft onrustig geslapen. De jongen daarentegen heeft net zo goed geslapen als in zijn eigen bed en het kostte nog enige moeite om hem te wekken.'

'Hij slaapt altijd heel vast.'

'Het klopt dat ik niet van plan was om ze een echt verhoor af te nemen, want dat beslist het Openbaar Ministerie in Liberty, de hoofdplaats van het district waar het misdrijf is begaan. Dat is maar zo'n tachtig kilometer bij u vandaan als ik me niet vergis. Kent u mensen in Liberty, meneer Galloway?'

'Niemand.'

'Daar worden uw zoon en zijn vriendin berecht als de psychiaters beslissen dat ze voor het gerecht dienen te verschijnen. Vanmorgen heb ik ze koffie en verse broodjes laten brengen en ze hebben met smaak ontbeten. Terwijl ik een paar telefoontjes zat te plegen heb ik ze geobserveerd. Ze zaten daar...'

Hij wees op een donkerkleurige leren canapé die tegen de muur stond.

'Ze hielden net als vannacht elkaars hand vast, zaten te fluisteren en keken elkaar verzaligd in de ogen. Iemand die nergens van wist en op dat moment was binnengekomen, zou ze hebben aangezien voor het gelukkigste stel op aarde. Toen mij werd verteld dat u er was heb ik tegen uw zoon gezegd: "Je vader is hier."

'Ik wil u geen verdriet doen, meneer Galloway, maar ik denk dat het belangrijk is dat u de waarheid hoort. Hij keerde zich naar zijn vriendin terwijl zijn gezicht versomberde en bromde binnensmonds: "Stik!" Ik zei daarna: "Ik geef je toestemming om een paar minuten met hem te praten, zonder anderen erbij als je dat wilt."

"Maar ik wil hem absoluut niet zien! Ik heb hem niets te zeggen. Is het echt nodig dat u hem binnen laat komen?"

"Ik kan je niet dwingen met hem te praten."

"Dan is het nee!"

Anderen zullen zich met de rest bezighouden en ik geef eerlijk toe dat ik persoonlijk liever geen beslissing over hem wil nemen.'

'Hij is niet gek,' herhaalde Dave vol overtuiging.

'Toch is dat zijn enige kans om eronderuit te komen. Ik vraag me af of u zich dat wel realiseert. Als u me nu belooft dat u niets zult doen dat tot een vervelend incident kan leiden, als u zich in staat acht uw zoon langs te zien lopen zonder dat u meteen op hem afrent...'

'Dat beloof ik u.'

'Dan zal ik u iets vertellen wat eigenlijk nog vertrouwelijk is. Om twaalf uur vijfenveertig zullen uw zoon en Lillian Hawkins met een politieagent en een vrouwelijke bewaker op het vliegveld zijn om het vliegtuig naar New York te nemen. Ze moeten dan door de hal waar vast en zeker een paar verslaggevers en een of twee fotografen zullen staan. Als u daar dan ook bent...'

'Gaan ze met een gewone vlucht?'

De inspecteur knikte van ja.

'Mag ik hetzelfde vliegtuig nemen?'

'Als er nog plaats is.'

Hij had anderhalf uur de tijd, maar was zo bang te laat te komen dat hij snel het Federal Building verliet en zich naar zijn hotel haastte.

'Ik moet weer met het vliegtuig van twaalf uur vijfenveertig weg,' zei hij daar. 'Ik kom mijn koffer ophalen. Hoeveel ben ik u verschuldigd?'

'Niets, meneer Galloway, u hebt de kamer immers niet gebruikt.'

Hij ging per taxi dezelfde weg terug, holde rechtstreeks naar het loket.

'Is er nog plaats in het vliegtuig van twaalf uur vijfenveertig naar New York?'

'Hoeveel personen?'

'Eentje maar.'

'Een ogenblikje.'

Het was erg warm. Het meisje had zweetpareltjes op haar bovenlip, vochtige plekken onder haar armen; haar geur deed hem aan Ruth denken. Ze belde naar een andere afdeling.

'Hoe is uw naam?' vroeg ze vervolgens terwijl ze een ticket wilde gaan invullen.

'Galloway.'

Ze keek hem verrast aan, aarzelde.

'Weet u dat in datzelfde vliegtuig...'

'Mijn zoon zit erin, ja.'

Hij lunchte in het restaurant op het vliegveld. Wat de inspecteur van de FBI hem had verteld verontrustte hem nog niet, misschien werd hij nog te zeer in beslag genomen door deze nieuwe ontwikkelingen. Alleen toen hem verteld werd over Lillian en wat ze zo trots had beweerd over hun verhouding, had hij een steek in zijn hart gevoeld.

Als Ben had geweigerd hem te spreken kwam dat natuurlijk omdat hij hem niet onder ogen durfde te komen. Hij was natuurlijk ook op van de zenuwen. Ze zouden hem wat tijd moeten gunnen om weer tot zichzelf te komen.

Galloway stond al om kwart over twaalf bij het hek van het vliegveld te letten op alle auto's die aankwamen en hij had aan twee verschillende medewerkers van het vliegveld gevraagd of ze zeker wisten dat er geen andere ingang was. Hij zag een paar fotografen arriveren, gewapend met hun fototoestellen, en de drie mannen die zich bij hen voegden waren ongetwijfeld verslaggevers. Ze vormden midden in de hal een groep en een van hen kreeg hem in het oog, fronste zijn wenkbrauwen, sprak met de anderen, ging informeren bij het meisje aan het loket dat bevestigend knikte.

Ze hadden hem herkend. Het kon hem niets schelen. Ze kwamen allemaal op hem af.

'Meneer Galloway?'

Hij zei 'ja'.

'Hebt u uw zoon vanmorgen gezien?'

Hij stond op het punt te liegen, zozeer speet het hem de reis voor niets te hebben gemaakt.

'Ik mocht niet naar hem toe.'

'Kreeg u geen toestemming?'

Hij was geneigd 'ja' te zeggen, maar zijn antwoord zou in de krant komen en de inspecteur van de FBI zou het waarschijnlijk weerleggen.

'Mijn zoon wilde me niet zien,' gaf hij toe terwijl hij zijn best deed daarbij te glimlachen alsof hij het over een kwajongensstreek had. 'U zult zijn reactie wel begrijpen...'

'Reist u samen met hem?'

'In hetzelfde vliegtuig, ja.'

'Vindt het proces plaats in Liberty?'

'Dat is mij een uur geleden verteld.'

'Hebt u al een advocaat?'

'Nee. Ik neem de beste, ik heb er het geld voor.'

Hij schaamde zich plotseling omdat hij in de gaten kreeg dat hij zich belachelijk gedroeg.

'Mag ik even? Een beetje naar voren. Dank u!'

Er werd een foto van hem gemaakt. En op dat moment zag hij zijn zoon uit een auto stappen, zijn pols met een handboei vast aan de pols van een jonge politieman in burger die eruitzag als zijn oudere broer. Ben had zijn beige regenjas aan. Hij was blootshoofds, Lillian Hawkins liep achter hem vergezeld door een lijvige vrouw, die geperst zat in een donker mantelpak dat deed denken aan een uniform.

Er stonden twee grote ramen open. Had Ben vanuit

de verte zijn vader herkend in de zee van flitslicht? De fotografen haastten zich naar de deur, de verslaggevers ook en de menigte die al gauw doorhad wat er gebeurde vormde een haag, zoals wanneer een bekende persoonlijkheid voorbijkomt.

Dave werkte met zijn ellebogen, drong helemaal naar voren en toen zijn zoon op een paar passen van het klaphekje was, kruisten hun blikken elkaar. Ben fronste zijn wenkbrauwen tijdens het voorbijlopen, draaide zich even later om, niet om nog een keer naar hem te kijken maar om enkele woorden te wisselen met Lillian.

Zij was iets bleker dan hij, waarschijnlijk van vermoeidheid, en in haar goedkope jas over een gebloemd katoenen jurkje leek ze, zo naast haar bewaakster, op een klein ziek kind.

Ben had geen enkel gebaar gemaakt naar zijn vader en Dave begon nu te begrijpen wat de inspecteur hem had proberen te vertellen. Het was alsof zestien jaar samenleven en dagelijkse omgang met elkaar plotseling niet meer bestonden. De ogen van zijn zoon hadden niets verraden, geen enkele emotie was te zien op zijn gezicht. Alleen even die frons met zijn wenkbrauwen zoals wanneer iemand iets onaangenaams ziet in het voorbijgaan.

'Mijn vader!' had hij vast tegen haar gezegd toen hij zich omdraaide.

Ze waren al verdwenen naar het platform, waar zij eerst in het vliegtuig werden gelaten voordat de andere passagiers erdoor mochten.

'Heeft hij u gezien?' vroeg een van de verslaggevers hem.

'Ik geloof van wel.'

Hij voegde eraan toe: 'Ik weet het niet zeker.'

Hij sloot aan in de rij, stapte als een van de laatsten in het toestel, waar de stewardess hem een van de stoelen achterin aanwees. Ben en Lillian daarentegen zaten helemaal voorin, hij links met de politieman, zij rechts met de vrouw die haar begeleidde, alleen het gangpad scheidde hen van elkaar.

Als Dave helemaal omhoogkwam uit zijn stoel kon hij hen zien. Hij zag dan alleen hun hoofd en hun nek, als ze tenminste niet achteroverleunden, maar het was genoeg om eruit op te maken dat ze de hele tijd naar elkaar toegedraaid zaten. Nu en dan bogen ze zich naar elkaar toe en zeiden iets tegen elkaar en hun bewakers lieten hen hun gang gaan. Even later bood de stewardess hun net als ieder ander thee en sandwiches aan, maar die weigerden ze.

Kon het zijn dat ze allebei geen besef hadden van hun situatie? Je zou denken dat ze op vakantie waren, blij met hun vliegreis, en Dave zag heel goed dat de andere passagiers net zo verbaasd waren over hun gedrag als hij.

Na ongeveer een half uur vliegen zakte het hoofd van Lillian steeds meer opzij en waarschijnlijk sliep ze de rest van de reis. Voor wat betreft Ben, die had eerst een tijdje zitten kletsen met de politieman en was toen de krant gaan lezen die hij van hem gekregen had.

Alles moest op een misverstand berusten, daar was Galloway van overtuigd. Wat anderen doen lijkt altijd vreemd omdat wij niet hun ware motieven kennen. Toen hij vroeger met Ruth was getrouwd, had iedereen op de fabriek met een mengeling van verbazing en medelijden naar hem gekeken en hij had zo ongeveer hetzelfde gezicht getrokken als Ben nu liet zien aan die mensenmenigte daar.

Hij wist wat hij deed door met Ruth te trouwen. Hij was de enige die dat wist.

Anderen beklaagden hem. Ze dachten dat hij zich had laten inpalmen, dat hij was bezweken voor een voorbijgaande impuls, zonder dat ze ook maar konden vermoeden dat dit de enige soort vrouw was waarmee hij wilde trouwen. Wie weet hadden sommige mensen wel gedacht dat hij tijdelijk zijn verstand had verloren.

Hij hield ook de hand van zijn vrouw vast waar iedereen bij was, terwijl hij de mensen uitdagend aankeek. En toen ze in verwachting was wandelde hij trots met haar door het centrum van de stad.

De meeste van zijn kameraden waren met haar naar bed geweest. Desondanks had hij zichzelf niet toegestaan haar voor hun huwelijk aan te raken, wat haar merkwaardig genoeg zo had ontroerd dat ze hem daar huilend voor had bedankt. Het is waar dat ze die avond hadden gedronken. Ze dronken elke avond.

Iedereen zou hebben voorspeld dat hij met haar ongelukkig zou worden, maar dat was beslist niet zo. Hij wilde per se gaan wonen in een van de nieuwe huizen van het wijkje, precies dezelfde meubels kopen als de meeste jonge stellen, dezelfde spulletjes. Zijn moeder was niet bij de bruiloft geweest, want hij had haar daar pas een maand later terloops, alsof het totaal niet belangrijk was, aan het eind van een brief van op de hoogte gesteld. De lente daarop was ze onverwacht een keer op bezoek gekomen met Musselman en hij was ervan overtuigd dat zij in haar hele leven nog nooit zo verbaasd was geweest. Hij wist niet wat ze had verwacht; maar dat was zeker niet Ruth of het gezinnetje dat zij aantrof.

'Ben je gelukkig?' had ze gevraagd toen ze even alleen waren in de kamer.

Hij glimlachte alleen maar en zij geloofde die glimlach niet. Ze had hem nooit geloofd. Ze had zijn vader ook nooit geloofd. Geloofde ze Musselman wel?

'Nou, kinderen van me, het is tijd dat we gaan.'

Ze had niet bij hen willen blijven eten.

'Veel geluk!' had ze nog geroepen toen ze al buiten stond.

Ze wenste het paar alle narigheid toe die maar mogelijk was. Hij had haar dan ook niet geschreven toen Ruth was weggegaan. Bijna twee jaar lang had hij niet geantwoord op haar brieven; dat waren er trouwens maar een paar geweest.

Was dat het wat de inspecteur hem vanmorgen had geprobeerd te laten begrijpen? Maar het verschil was nu net dat hij wel vertrouwen had in Ben. Zij waren van hetzelfde ras. Het was waarlijk zijn zoon. Vanavond of morgen zouden ze een onderhoud hebben en zou alles duidelijk worden. Wat Ben wel moest weten, was dat zijn vader op voorhand alles begreep. Dat was de betekenis van zijn oproep: 'Ik ben er altijd voor je, wat er ook gebeurt...'

Om dat nog meer te benadrukken had hij eraan toegevoegd: 'Ik ben niet kwaad op je, Ben!'

Het ging er niet om hem iets kwalijk te nemen in de strikte zin van het woord. Het had een ruimere betekenis. Ben had zijn boodschap via de radio waarschijnlijk niet gehoord; tegen de tijd dat die werd uitgezonden was hij net bij die ambtenaar van de burgerlijke stand van een dorp in Illinois.

Was hij daarna ergens in de donkere nacht gestopt, ondanks dat de politie hen op de hielen zat, om Lillian voor te stellen dat ze elkaar zouden toebehoren? Of was het haar idee? Hij dacht daar liever niet aan, probeerde ook niet te raden wat ze momenteel tegen elkaar zeiden nu het meisje weer wakker was.

Ze vlogen over New York, waar de wolkenkrabbers bijna van goud leken in de zon, en het toestel daalde gestaag. Alle sigaretten waren gedoofd, de gordels vastgegespt. Dave had zich voorgenomen te blijven zitten tot zijn zoon zou uitstappen, waardoor deze vlak langs hem heen moest, hij hem misschien zelfs kon aanraken, maar de stewardess liet alle passagiers uitstappen, hem ook.

Noodgedwongen volgde hij de anderen door het hek en toen hij de wachtkamer bereikte en zich omdraaide zag hij dat Ben en Lillian naar een ander gedeelte van het vliegveld werden meegenomen.

'Waar gaan ze heen?' vroeg hij aan een medewerker van de luchthaven, die in de richting keek die hij aanwees.

'Ongetwijfeld naar een ander vliegtuig,' antwoordde de man onverschillig.

'Welke lijn is dat, daarginds?'

'Syracuse.'

'Maakt dat vliegtuig een tussenlanding in Liberty?'

'Dat zou kunnen.'

Hij probeerde tevergeefs dat vliegtuig te nemen. Het vliegtuig was al opgestegen voordat hij het goede loket had gevonden.

'U kunt over een uur met een ander vliegtuig dat Liberty aandoet. U bent dan altijd nog sneller dan met de trein.'

Hij werd niet eens meer ongeduldig, raakte er al aan gewend dat alles anders verliep dan hij zou wensen en verloor de moed niet, overtuigd dat hij het laatste woord zou hebben.

Het was vijf uur toen hij aankwam in de hoofdstad

van het district waar hij tot nu toe alleen doorheen gereden was met de auto. De laatste keer was de vorige avond, in een politieauto, en alles was dicht omdat het zondag was. Hij nam amper de tijd zijn koffer in het hotel te zetten en haastte zich naar het Paleis van Justitie, dat daar niet ver vandaan was.

Hij kwam een paar minuten te laat. Een groep nieuwsgierigen en een fotograaf hingen nog rond op de stenen trap.

'Is Ben Galloway in dit gebouw?'

'Ze hebben hem net meegenomen.'

'Waarheen?'

'Naar de districtsgevangenis.'

'Heeft hij de officier van justitie gezien?'

'Ze zijn allebei naar zijn kantoor gebracht, maar ze zijn er maar een paar minuten gebleven.'

Ze hadden hem niet herkend. Hij probeerde de glazen deur open te duwen maar deze gaf niet mee. Binnen stond een eenarmige werknemer met een pet met gouden biezen te gebaren dat hij niet hoefde aan te dringen.

'Hij zal heus niet opendoen,' aldus een oude man. 'Om vijf uur precies sluit hij de deur en dan mag niemand er meer in.'

'Zit de officier nog in zijn kantoor?

'Waarschijnlijk wel. Ik heb hem niet naar buiten zien komen. Maar hij ontvangt u ook niet na vijven.'

De oude man, die een niet goed zittend kunstgebit had, keek hem aan terwijl hij sluw glimlachte.

'U bent de vader, hè?'

En omdat Galloway een bevestigend knikje gaf, voegde hij er met een hoge stem aan toe: 'Bijzondere zoon hebt u! Werkelijk om trots op te zijn!'

Het was de eerste ongegronde hatelijkheid die hij vanwege Ben had te slikken en verward, zonder het te begrijpen, keek hij het oude mannetje na dat grijnzend wegliep.

Hij had het verkeerd aangepakt, vanaf het begin al. Hij had de raad van de commissaris moeten opvolgen die hem had aangeraden meteen een goede advocaat te nemen. Wist hij veel aan welke formaliteiten voldaan moesten worden om een gevangene te bezoeken? Hij had vast bepaalde rechten, maar die kende hij niet. Ben moest beschermd worden. Ze konden hem niet maar z'n gang laten gaan, hij praatte en handelde als een kind.

Hij ging terug naar het hotel omdat hij niemand kende aan wie hij iets kon vragen.

'Kan ik de bedrijfsleider spreken?'

Zonder te hoeven wachten werd hij binnengelaten in het kantoortje bij de receptie. De bedrijfsleider had geen jasje aan, de mouwen van zijn overhemd waren opgestroopt.

'Sid Nicholson,' stelde hij zich voor.

'Dave Galloway. Ik neem aan dat u weet waarom ik hier ben?'

'Ja, dat weet ik, meneer Galloway.'

'Ik kom u vragen of u me kunt zeggen wie de beste advocaat van het district is.'

En met nodeloze grootspraak voegde hij eraan toe: 'Maakt me niet uit of hij duur is. Ik kan het betalen.'

'U zou moeten proberen Wilbur Lane te krijgen.'

'Is dat de beste?'

'Hij is niet alleen de beste van Liberty, maar hij pleit bijna iedere week wel een keer in New York en Albany en het is een persoonlijke vriend van de gouverneur. Wilt u hem vanavond al een bezoek brengen?'

'Als dat mogelijk is.'

'In dat geval kan ik hem beter meteen bellen, want als hij eenmaal van kantoor vertrekt gaat hij naar de golfbaan en krijgt u hem niet meer te pakken.'

'Nou, graag.'

'Kun je me Wilbur Lane geven, Jane.'

Hij had een secretaresse aan de lijn die hij ook al bij haar voornaam noemde.

'Is de baas er nog? Je spreekt met Sid Nicholson. Ik wil hem graag heel even hebben. Het is dringend... Hallo! Wilbur? Sorry dat ik je stoor. Sta je op het punt weg te gaan?... Er is hier iemand die gebruik wil maken van jouw diensten... Kun je raden wie? Juist ja, die bedoel ik... Hij staat in mijn kantoor. Kun je hem ontvangen?... Dan stuur ik hem naar je toe. Dag...'

'Waar is het?' vroeg Galloway, die het gesprek had gehoord.

'U loopt de straat uit tot u rechts een methodistenkerkje ziet. Recht daartegenover staat een groot wit huis in koloniale stijl met een naambord waarop staat: Lane, Pepper en Durkin.

Jed Pepper doet alleen fiscale zaken en erfeniskwesties. Wat betreft Durkin, die is net een half jaar geleden overleden.'

De kantoren waren vanaf vijf uur dicht, maar de secretaresse stond ongetwijfeld door een van de ramen naar hem uit te kijken want ze deed de deur open zodra hij zijn voet op de eerste trede van de stenen stoep zette.

'Meneer Lane verwacht u. Deze kant uit alstublieft.'

Een man met wit haar en een nog jong gezicht, een kop groter dan Galloway en breedgeschouderd als een rugbyspeler, stond op om hem een hand te geven.

'Ik wil niet zo ver gaan te beweren dat ik u verwachtte, maar ik was niet verbaasd door het telefoontje van mijn vriend Sid. Gaat u zitten, meneer Galloway. Ik heb net in een avondkrant gelezen dat u voor niets naar Indianapolis bent gegaan.'

'Mijn zoon is hier.'

'Dat weet ik. Ik heb zoëven contact opgenomen met George Temple, de officier van justitie, een oude vriend van mij. Hij begreep ook meteen waar het over ging.

'Ik verzoek u de verdediging van mijn zoon op u te nemen. Ik ben niet rijk, maar ik heb ongeveer zevenduizend dollar spaargeld en...'

'Daar hebben we het later nog wel over. Met wie hebt u in Indianapolis gesproken?'

'Met iemand die daar aan het hoofd schijnt te staan van de FBI. Zijn naam is me niet bekend.

'Wat hebt u tegen hem gezegd?'

'Dat ik ervan overtuigd was dat alles uitgelegd kon worden als ik met Ben had gesproken.'

'En uw zoon heeft geweigerd u te zien.'

Toen hij zag hoe verbaasd Galloway was verklaarde hij: 'Dat staat al in de krant. Ziet u, het is belangrijk dat u vanaf nu met absoluut niemand meer over de zaak praat en al zeker niet met verslaggevers. Zelfs als ze u ogenschijnlijk onschuldige vragen over uw zoon stellen, geef dan nog geen antwoord. Temple heeft geen gebruik willen maken van de situatie om het stel meteen na aankomst te ondervragen. Ze zijn dus maar een paar minuten in zijn kantoor geweest voor de gebruikelijke formaliteiten en hij heeft ze rechtstreeks naar de gevangenis laten overbrengen. Omdat u wilt dat ik de verdediging van uw zoon op me neem zal ik morgen erbij zijn wanneer hij voor de eerste keer wordt verhoord. Waarschijnlijk krijg ik zelfs wel de gelegenheid hem voor die tijd te spreken.'

Terwijl hij een sigaar in een goudomrand sigarenpijpje deed, vroeg hij onverwachts: 'Hoe is hij?'

Dave kreeg een kleur, want hij begreep de vraag niet helemaal en was bang weer iets verkeerd te doen.

'Hij was als kind altijd rustig, bedachtzaam. In zestien jaar heeft hij me nog nooit ook maar één probleem bezorgd.'

'Hoe was hij toen u hem terugzag in Indianapolis? In de krant staat dat jullie je recht tegenover elkaar bevonden in de hal van het vliegveld.'

'Niet echt recht tegenover elkaar. Ik stond tussen de mensen.'

'Heeft hij u gezien?'

'Ja.'

'Geneerde hij zich volgens u?'

'Nee. Het is moeilijk uit te leggen. Ik denk dat hij het vervelend vond mij daar te zien.'

'Leeft zijn moeder nog?'

'Dat denk ik wel.'

'U weet niet waar ze is?'

'Ze heeft me vijftien en een half jaar geleden verlaten, maar liet het kind dat toen zes maanden was bij mij achter. Drie jaar later is er iemand bij mij gekomen om me papieren te laten ondertekenen zodat ze kon scheiden.'

'Erfelijke afwijkingen aan die kant?'

'Wat bedoelt u?'

'Ik vraag u of er aan moederszijde bepaalde antecedenten zijn die een verklaring zouden kunnen zijn voor het gebeurde.'

'Voor zover ik weet is zij nooit ziek geweest.'

'En uzelf?'

Hij had dit soort vragen niet verwacht en was van zijn stuk gebracht, vooral omdat de advocaat zijn antwoorden noteerde. Zijn handen en ook zijn nagels zagen er goed verzorgd uit. Hij zat strak in het fraaie blauwe pak, met een double-breasted jasje. Dave vroeg zich al een tijdje af aan wie hij hem deed denken.

'Ik heb ook nooit een ernstige ziekte gehad.'

'Uw vader?'

'Die is toen hij veertig was overleden aan een hartstilstand.'

'Uw moeder?'

'Zij is hertrouwd en maakt het goed.'

'Geen tantes, ooms, neven of nichten die ooit opgenomen zijn geweest?'

Hij begreep waar de ander heen wilde en protesteerde: 'Ben is niet gek!'

'Roept u dat niet te hard, want het zou kunnen dat het onze enige kans is om zijn leven te redden. Ziet u, toen ik las wat er in de krant stond over zijn houding, dacht ik eerst dat hij er alles aan deed om de elektrische stoel te krijgen. Neemt u mij niet kwalijk dat ik er geen doekjes om wind. Het is belangrijk de werkelijkheid onder ogen te zien. Daarna, toen ik er nog eens over nadacht, vroeg ik me af, en dat doe ik nog steeds, of hij niet slimmer is dan iedereen denkt en of hij misschien wel de beste tactiek heeft gekozen.'

'Ik begrijp het niet.'

'Hij huilt niet, vraagt geen vergiffenis, stort niet in, is ook niet zo wantrouwig en in zichzelf gekeerd dat hij helemaal niets zegt. Hij praat en doet daarentegen of hij het prachtig vindt iemand in koelen bloede te hebben gedood, de auto van die man te hebben gestolen en dat hij daarna is gaan schieten tot zijn automatische pistool leeg was. Het is moeilijk, beste meneer, zich een intelligente jongen voor te stellen die inmiddels zestien jaar is en normaal is opgegroeid in een middenstandersmilieu, het is moeilijk, zeg ik, zich iemand voor te stellen die zo handelt als hij niet geestelijk gestoord is. U bent bang voor het woord gek, net als iedereen, en het is ook niet het meest geschikte woord. De psychiaters zullen eerst in nauwkeuriger termen de mate van onderscheidingsvermogen bij uw zoon gaan vaststellen, vervolgens zijn reactievermogen bij een goede of verkeerde opwelling. Het allereerste dat ik morgen aan de officier van justitie ga vragen is zo'n deskundigenonderzoek, en het is zeer waarschijnlijk dat ik een beroep zal doen op een specialist uit New York.'

Zou Dave koppig blijven herhalen dat zijn zoon niet gek was? Er werd niet naar hem geluisterd. Hij kreeg te verstaan dat het hem niet meer aanging, dat de verdediging van Ben hem uit handen was genomen.

'Ik ga er vanuit dat u van plan bent in Liberty te blijven tot de ondervraging door de jury? Tenzij het deskundigenonderzoek waar ik het net over had meer tijd kost dan ik denk, zal de jury over twee of drie dagen bijeengeroepen worden. Ik wil u niet verbieden te blijven, maar u kunt zich het best maar zo min mogelijk vertonen en vermijdt u vooral met anderen te praten. Iedere hotelkamer is voorzien van telefoon. Ik beloof u dat ik u op de hoogte zal houden. Als ik het wenselijk acht dat u uw zoon even ziet, zal ik dat regelen bij de officier van justitie. Ondertussen zou het mij helpen als u zich alle min of meer vreemde onvoorziene gebeurtenissen uit het leven van uw zoon probeert te herinneren. En gaat u nou niet zeggen dat die er niet zijn. U zult verbaasd staan over wat u allemaal nog gaat ontdekken.'

Hij keek op zijn horloge en stond op. Misschien dacht hij bij zichzelf dat er nog tijd was voor zijn partijtje golf? Toen Dave hem een hand gaf wist hij ineens aan wie hij hem deed denken. Aan Musselman, de tweede man van zijn moeder.

Het was te laat om nu nog iets anders te bedenken. Trouwens, Musselman was doelmatig op zijn vakgebied. Deze ongetwijfeld ook.

Hij werd opzijgeschoven, hij moest zijn mond houden, zich haast verbergen, en de advocaat was degene die zou beslissen of een korte ontmoeting tussen vader en zoon al dan niet wenselijk was!

Hij liep over straat en voorbijgangers keken hem na. Toen hij door de draaideur van het hotel kwam zag hij Isabelle Hawkins in haar zondagse jurk en met een feestelijke hoed op in een hoek van de hal zitten. Ze zat te praten met iemand die hij niet onmiddellijk herkende omdat hij met zijn rug naar hem toe zat.

Het was Evan Cavanaugh, de advocaat van Everton. Ze waren waarschijnlijk vlak daarvoor samen gearriveerd. Dave had geen moment aan de Hawkins gedacht, al helemaal niet bedacht dat ook Lillian een advocaat nodig had. Dat vond hij heel merkwaardig.

Isabelle Hawkins had hem gezien. Ze keken elkaar aan. In plaats van hem te groeten, een gebaar van herkenning te maken, kneep zij haar lippen op elkaar en kregen haar oogjes een harde blik.

Hij constateerde bijna met voldoening dat ze vijanden waren.

Hoofdstuk 8

Tegen elf uur zag hij vanuit zijn raam Isabelle Hawkins met Cavanaugh het hotel verlaten om richting Paleis van Justitie te gaan en hij kon niet anders dan hen benijden. Zijn eigen advocaat had hem nog niet opgebeld en in afwachting van een telefoontje was Dave geen moment van zijn kamer geweest.

Hij stond nog steeds aan het raam, nog steeds zonder nieuws toen Isabelle na ongeveer drie kwartier in het gerechtsgebouw te zijn geweest, alweer terugkwam, alleen deze keer. Was zij de hele tijd bij haar dochter geweest? Ze liep het hotel steeds in en uit en met haar koffertje in haar hand begaf ze zich ten slotte naar het busstation.

Ze ging terug naar Everton. Misschien moest hij maar eens opbellen naar Musak, die hem zo goed mogelijk had geholpen de nacht van zondag op maandag door te komen en hem met zijn auto naar La Guardia had gebracht.

Wat zou hij tegen hem kunnen zeggen? Het leek een eeuw geleden en hij vroeg zich af of hij ooit Everton terug zou zien.

Wilbur Lane belde hem een paar minuten later. Deed hij echt koeler dan de vorige dag of leek dat maar zo via de telefoon? In ieder geval verloor hij geen tijd met nodeloze praat, vroeg niet aan Galloway hoe het met hem ging.

'Ik heb voor vanmiddag drie uur een ontmoeting met

uw zoon geregeld bij de officier van justitie. Zorg dat u een paar minuten voor die tijd in de wachtkamer bent waar ik u kom ophalen.'

Lane hing alweer op, zonder hem de tijd te laten vragen te stellen. Musselman was net zo, zelfs als hij niets te doen had, om de indruk te wekken dat hij het druk had. Galloway ging beneden in het restaurant van het hotel wat eten, was ruim op tijd in het Paleis van Justitie, beende heen en weer, begon vervolgens alle officiële aanplakbiljetten op de borden te lezen.

De advocaat arriveerde om twee minuten voor drie en zonder zijn pas in te houden gebaarde hij hem te volgen naar het eind van een lange gang.

'Het onderhoud vindt plaats in aanwezigheid van de officier van justitie,' legde hij al lopend uit.

'Heeft hij dat geëist?'

'Nee. Uw zoon.'

'Hebt u hem gesproken?'

'Een half uur, vanmorgen vroeg, daarna was ik erbij toen hij werd verhoord.'

Wat er was gezegd, hoe Ben had gereageerd, dat ging hem kennelijk niet aan, want er werd met geen woord over gerept.

Lane klopte op een deur, deed die al open zonder op antwoord te wachten en gaf een tikje tegen zijn parelgrijze hoed toen hij het vertrek waar twee secretaressen zaten te werken, door liep.

'Zijn ze daar?' vroeg hij op een manier die aangaf dat hij daar bekend was.

Hij duwde een tweede deur open en daar zat Ben, midden in het vertrek, op een stoel met zijn benen over elkaar een sigaret te roken. De officier van justitie zat tegenover hem aan de andere kant van het bureau. Een man van ongeveer veertig jaar die vast niet erg gezond was en zich overal over opwond – een plichtmatig persoon ongetwijfeld.

'Komt u binnen, meneer Galloway,' zei hij terwijl hij opstond.

Ben draaide zich naar hem toe en zei: 'Hallo, dad!'

Hij zei het vriendelijk, maar zonder enthousiasme, zoals bijvoorbeeld wanneer hij uit school thuiskwam. Ze liepen niet op elkaar af. Dave wist niets te zeggen, geremd door de aanwezigheid van de twee mannen die net deden of ze zachtjes in een hoek stonden te praten. Misschien had hij net zo onbeholpen gedaan als hij alleen met zijn zoon was geweest. Ten slotte mompelde hij: 'Heb je mijn oproep gehoord?'

Zo'n nonchalante houding had hij zelden meegemaakt van Ben. In twee dagen tijd leek hij alle verlegenheid en onhandigheid van de moeilijke leeftijd achter zich te hebben gelaten; hij gedroeg zich natuurlijk, ongedwongen.

'Ik moet je eerlijk zeggen dat we niet op de gedachte zijn gekomen naar de radio te luisteren, maar ik heb het gisteren in het vliegtuig gelezen.'

Hij gaf verder geen commentaar op de verklaring van zijn vader. In ieders verbeelding zaten de voortvluchtigen aan de radio gekluisterd in de hoop de plannen van politie te dwarsbomen. Zoals Ben het zo eenvoudig zei: die gedachte was totaal niet bij ze opgekomen. En met een geamuseerde glimlach zei Ben ook nog: 'Het is net als met de weg die we gevolgd hebben. Ze zochten ons op de secundaire wegen terwijl we, behalve de twee keer dat we verdwaald waren, rustig over de grote weg reden.'

Hij zweeg. Dave was daarentegen nog steeds met stomheid geslagen. Smachtend keek hij zijn zoon aan, die zijn hoofd een beetje had afgedraaid, waardoor hij hem nu en profil zag. Het viel hem op dat Ben zich had geschoren en een schoon overhemd droeg.

'Weet je, dad, je kunt maar beter teruggaan naar Everton. Het is nog niet te voorzien wanneer we voor de jury moeten verschijnen. Dat hangt van de zielenknijpers af die morgen uit New York komen.'

Hij praatte zonder ook maar een spoortje verlegenheid over de jury en de psychiaters.

'Als je Jimmy van Horn ziet, zeg hem dan dat ik het heel vervelend vind voor hem. Ik heb niet uit de school geklapt.'

'Maar Ben, is er dan niets dat je tegen mij wilt zeggen?'

Het was bijna bedelen. Zijn zoon antwoordde: 'Wat wil je dat ik tegen je zeg? Alles wat ik zou kunnen zeggen zou je verdriet doen. Ga terug naar Everton. Maak je over mij geen zorgen. Ik heb nergens spijt van en als ik het opnieuw moest doen, zou ik precies hetzelfde doen.'

Hij keerde zich naar de officier van justitie.

'Is dit genoeg?' vroeg hij, alsof hij er alleen maar op aandringen van de magistraat mee had ingestemd zijn vader te zien.

De officier van justitie was niet op zijn gemak en had vast liever niet een zaak op zijn dak gekregen waarover alle kranten van de Verenigde Staten spraken.

'Het ziet ernaar uit dat hij u verder niets heeft te zeggen, meneer Galloway.'

Na een ogenblik voegde hij daaraan toe, om te voorkomen dat het leek dat hij hem al te abrupt de deur wees:

'Het klopt dat we de datum met de Grand Jury pas kunnen vaststellen na het psychiatrisch onderzoek.

Ben boog voorover om de peuk van zijn sigaret in de asbak uit te drukken.

'Tot ziens, dad,' mompelde hij om zijn vader te doen besluiten weg te gaan.

'Tot ziens, jongen.'

Lane volgde hem de kamer uit. Dave kon zich niet herinneren de officier van justitie gegroet te hebben en was bijna weer naar binnen gegaan om zich daarvoor te excuseren.

'Zoals u hem net hebt meegemaakt, zo deed hij vanmorgen ook tegen mij en tijdens het hele verhoor daarna.'

De advocaat sprak er wrokkig over, alsof hij Galloway daarvoor verantwoordelijk hield.

'We hadden heel misschien nog kans gehad de voorbedachten rade te ontkennen als er was volgehouden dat het idee om een automobilist te overvallen pas onderweg bij hem was opgekomen.'

Dave wekte niet de indruk te luisteren; er was een soort beschermend vacuüm om hem heen.

'Hij wilde daarentegen per se aan de officier van justitie vertellen dat hij zijn daad drie weken van tevoren tot in detail had voorbereid. Dat hij een zaterdag heeft gekozen, komt omdat u dan blijkbaar de avond doorbrengt bij een vriend. Eigenlijk is het vertrek, dat de zaterdag ervoor gepland was, een week uitgesteld omdat u verkouden was en thuisgebleven bent. Klopt dat?

'Dat klopt.'

'De advocaat van Lillian Hawkins is met haar niet veel gelukkiger. Uw zoon heeft nog een keer geprobeerd alle schuld op zich te nemen. Als je haar hoort, dan heeft zij niet alleen alle plannen met hem op touw gezet, maar is zij degene die het initiatief daartoe heeft genomen. Zij heeft Ben in de Oldsmobile ook het teken gegeven dat hij moest schieten.'

Hij was in een slecht humeur.

'Wat ik niet begrijp, is dat u zestien jaar met een jongen als hij heeft geleefd zonder ook maar iets te merken.'

Dave was bijna geneigd hem om vergiffenis te vragen. Wat kon hij doen? Des te beter als ze het hem kwalijk namen, als iedereen het hem kwalijk nam. Het was alleen maar rechtvaardig hem ervoor verantwoordelijk te stellen.

'Bent u van plan zijn raad op te volgen?'

'Welke raad?'

'Naar Everton terug te gaan.'

Hij schudde met zijn hoofd van nee. Hij zou tot het eind toe bij Ben blijven, zelfs als hij hem alleen maar zo nu en dan nog vanuit de verte kon zien.

'Zoals u wilt. Ik heb gekozen voor psychiater Dr. Hassberger, die hier morgenochtend gelijk met de door de officier van justitie aangetrokken specialist zal zijn. Ik waarschuw u nu al dat u geen wonderen moet verwachten.'

Galloway zag hem daar nog staan in de halfdonkere gang, in zijn blauwe pak, met zijn zijdewitte haren. Ten slotte klopte Lane hem beschermend op de schouder.

'Gaat u wat rusten. Blijf in uw kamer voor het geval ik u nodig heb.'

Het was een kamer met een lits-jumeaux. Het behang had verticale strepen, donkergroen op lichtgroen, en een van de springveren van de fauteuil stak door de bekleding. Dave bracht het grootste deel van zijn tijd aan het raam door, gespannen kijkend naar de bedrijvigheid rond het gerechtsgebouw, maar óf ze hadden Ben er helemaal niet naar toe gebracht, óf ze maakten gebruik van een deur aan de achterkant. Hij zag Wilbur Lane daarentegen tegen vijven naar buiten komen, in gezelschap van een van de secretaresses die hij bij de officier van justitie had gezien.

Na het avondeten had hij bijna opgebeld naar Musak, maar vond er toch de moed niet voor. Lane nam het hem kwalijk, hij vroeg zich af waarom. Wat de officier van justitie betreft, die was de hele tijd dat hij er was niet op zijn gemak geweest.

Ten slotte viel hij in slaap en was verbaasd te merken dat het acht uur 's ochtends was toen hij wakker werd. Tot tien uur wachtte hij op nieuws van de advocaat en omdat hij het toen niet langer uithield belde hij hem op kantoor op. Het duurde lang voordat hij Lane aan de lijn had en terwijl die hem te woord stond scheen hij ondertussen te luisteren naar wat een bezoeker hem zei.

'Ik heb beloofd u te bellen als ik nieuws heb. Ik heb u over vanmorgen niets te zeggen. Nee... Dr. Hassberger is om acht uur gekomen en vanaf dat moment bezig uw zoon in de gevangenis te onderzoeken. Zo is dat... Ik zal u bellen...'

Om twaalf uur was hij nog niet gebeld. Pas om één uur ging de telefoon.

'De ondervraging door de Grand Jury vindt donderdagmorgen om tien uur plaats,' beet Lane hem bijna ruw toe.

'Dat betekent?'

'Dat betekent dat Hassberger vindt dat hij naar lichaam en geest gezond is en honderd procent verantwoordelijk voor zijn daden. Als onze specialist die mening is toegedaan, hebben we echt niets beters te verwachten van de specialist van de aanklagers. Het is mogelijk dat ik u als getuige zal oproepen en in dat geval moet ik nog een en ander met u bespreken, misschien in de loop van vanmiddag.'

Hij gaf geen teken van leven. Dave hoorde ook de hele volgende dag niets en tegen halfvijf 's middags ging hij ten slotte maar naar het kantoor van de advocaat. Dat bracht hem ook al niet verder. De secretaresse vertelde hem dat Lane in vergadering zat en hem niet kon ontvangen.

Galloway was verbaasd, niet alleen omdat hij zich niet meer gekweld voelde, maar omdat hij ongevoelig was geworden voor kleine ergernissen zoals deze. Sinds hij niets te doen had, telde de tijd niet meer; hij zat urenlang in de leunstoel op zijn kamer of bij het raam, en het kamermeisje moest van de etenstijd profiteren om schoon te kunnen maken.

Op een bepaald moment werd er op de deur geklopt en een onbekende die eruitzag als een agent in burger overhandigde hem voor de dag erna een dagvaarding als getuige ten overstaan van de Grand Jury.

Hij arriveerde een half uur te vroeg in het Paleis van Justitie en hij had de indruk dat Wilbur Lane, die met een groepje mensen stond te praten, net deed of hij hem niet zag.

Een dertigtal mensen slechts, vooral vrouwen, zat al op de lichte banken van de rechtszaal en de anderen liepen nog heen en weer door de gang of stonden rokend in een hoek te praten.

Hij zag dokter van Horn met Jimmy, maar Van Horn draaide hem de rug toe en liep op de advocaat af met wie hij een gesprek aanknoopte alsof hij hem al heel lang kende. Isabelle Hawkins was er ook, dit keer in gezelschap van haar zoon Steve en noch de een, noch de ander groette hem.

Een jonge verslaggever vroeg hem bijna opgewekt: 'Opgewonden?'

Hij was niet tot meer in staat dan een gedwongen glimlach. Hij hoopte erbij te zijn als zijn zoon arriveerde, niet wetend dat deze al een half uur in het kantoor van de officier van justitie zat.

Vlak voordat de bode zijn bel liet klinken in de gang leek Lane hem ineens op te merken.

'Ik heb u maar op goed geluk opgeroepen. Ik zal u twee of drie onschuldige vragen stellen. Het is zelfs mogelijk dat ik afzie van uw ondervraging. Hoe dan ook, blijft u geduldig wachten.'

'Ben ik er niet bij in de zaal?'

'Niet zolang u niet hoeft te getuigen.'

Was het geen opzet, om tijdens de behandeling van de zaak van hem af te zijn, dat Lane hem als getuige had opgeroepen? De getuigen werden opgenoemd en meegenomen naar een vertrek met rondom langs de muren banken met leuningen, waar koperen kwispedoren stonden en een kraantje met kartonnen bekertjes. De commissaris die hem op zondagmorgen had ondervraagd zat er, fris geschoren, en hij stak vriendelijk zijn hand op ter begroeting. Isabelle Hawkins had op een van de banken plaatsgenomen samen met haar zoon Steve, die zich op fluistertoon onderhield met Jimmy van Horn.

Er zaten nog andere mensen die hij niet kende, onder

andere een vrouw van een jaar of dertig, in het zwart, van wie hij voelde dat zij vaak haar blik op hem richtte.

Niet de commissaris, maar een andere politieagent in uniform werd het eerst gehaald, ongetwijfeld degene die de bestelwagen aan de kant van de weg had ontdekt. Ze konden niet horen wat er werd gezegd in het aangrenzende vertrek, want er zat nog een tweede geluiddempende deur tussen, maar soms was een gegons van stemmen merkbaar en nog duidelijker was het geluid van de hamer van de rechtbankpresident op de lessenaar te horen.

Een tweede politieagent ging op zijn beurt de rechtszaal binnen, daarna ten slotte de commissaris die langer wegbleef dan de twee anderen. Na hun getuigenis kwamen ze niet terug naar de wachtkamer. Bleven ze misschien in de zaal? Gingen ze misschien weg? Dave wist niet hoe dat ging want hij was zijn hele leven nog nooit bij een Grand Jury geweest. Daarnet in de gang had hij iemand gewichtig horen zeggen dat het heel snel ging, dat het in feite slechts een formaliteit was omdat de twee jongeren immers niet ontkenden.

De vierde getuige zag eruit als een arts, waarschijnlijk de man die het lijk van Charles Ralston had onderzocht.

Als Galloway het goed begreep waren ze bezig de feiten vast te stellen aan de hand van de opeenvolgende getuigenissen. De vrouw in de rouw werd vervolgens opgeroepen, waarna het verhoor werd opgeschort, en op de gang waar iedereen snel een sigaret ging roken was het een drukte van je welste. De getuigen mochten niet naar buiten en bij de deur zat een politiebeambte om dat te verhinderen.

Toen de bode weer verscheen wilde Isabelle Hawkins

al opstaan, in de veronderstelling dat het haar beurt was, maar Galloway werd gewenkt.

De zaal was veel lichter dan het kleine vertrek waar hij uit kwam en vanwege de warmte waren beide grote ramen die uitzagen op het park opengezet, zodat de geluiden van buiten te horen waren. Er zaten honderd tot honderdvijftig mensen op de banken en hij herkende de garagehouder uit Everton, de kapper en zelfs de oude mevrouw Pinch. Alleen de garagehouder maakte een klein gebaar naar hem met zijn hand.

Pas toen hij zich omkeerde zag hij de rechter zitten, alleen achter zijn lessenaar, op een soort verhoging. Lager daarnaast zaten de officier van justitie en zijn mensen aan dezelfde tafel als de verslaggevers.

Ben zat links op een bank, tegenover de jury, samen met Lillian, en vol aandacht voor wat er in de zaal gebeurde bogen ze zich af en toe naar elkaar om iets te zeggen wanneer ze weer een nieuw gezicht herkenden.

Galloway hief de hand op, herhaalde: 'Dat zweer ik.'

Daarna moest hij plaatsnemen met het gezicht naar de jury en het publiek, waarna Lane op hem af liep.

'Ik zou de getuige eerst willen vragen ons te zeggen hoe oud zijn zoon was toen mevrouw Galloway de echtelijke woning verliet. Uw antwoord graag.'

'Zes maanden.'

'Is uw zoon sindsdien nooit bij u weggeweest?'

'Nooit.'

'Is er wel eens sprake geweest van hertrouwen?'

'Nee, meneer.'

'Hebt u niet een zus of een bloedverwante in welke graad dan ook die bij u inwoont of regelmatig bij u thuis komt?'

Hij meende een geamuseerde glimlach op de lippen van Ben te zien alsof hij zag waar de advocaat heen wilde.'

'U hebt ook geen dienstmeisje?'

Hij schudde zijn hoofd.

'Kreeg u regelmatig vrienden met hun vrouw op bezoek?'

Hij kon nog steeds alleen maar ontkennend antwoorden, en niet alleen Ben zat te glimlachen, ook anderen in de zaal hadden plezier om zijn verlegenheid.

'Als ik het goed begrijp heeft uw zoon zijn hele jeugd en een deel van zijn puberteit doorgebracht zonder ooit een vrouw in huis te zien?'

Het was de eerste keer dat hem dit zelf ook opviel.

'Dat klopt. Behalve de werkster, twee keer per week.'

Hij verbeterde: 'En dan nog! Ik bedenk ineens dat Ben altijd op school was tijdens de uren dat zij kwam werken.'

Er werd luid geschaterd en de rechter zwaaide met zijn hamer. Hij was al wat ouder en zag er onopvallend uit.

'Dat is alles, meneer Galloway,' zei Lane.

Hij keerde zich tot de officier van justitie.

'Als u mijn getuige ook nog wilt ondervragen...'

Temple aarzelde, raadpleegde een jonge man die links naast hem zat.

'Een enkele vraag. Was de getuige op zaterdag 7 mei, dus afgelopen zaterdag een week geleden door een verkoudheid verhinderd naar zijn vriend te gaan zoals hij anders altijd op zaterdag doet?'

'Dat klopt.'

'Dat is alles,' mompelde de officier van justitie terwijl

hij ondertussen een paar woorden op een papiertje schreef.

Dave wist niet wat te doen, vroeg zich af of hij de zaal uit moest, maar toen hij zag dat er nog plaats was op de eerste rij, ging hij daar zitten.

Hij zat precies tegenover zijn zoon, minder dan vijf meter van hem vandaan. Zonder dat Ben het expres leek te doen, draaide hij zich nooit naar zijn kant en hun blikken kruisten elkaar dus niet één keer.

In de ogen van Ben was niet hij, maar Lillian belangrijk. Tegen haar glimlachte hij af en toe, of misschien was het ook wel naar de mensenmassa die vol aandacht naar hem keek.

De hele tijd dat de zitting duurde probeerde Dave tevergeefs zijn aandacht te trekken. Hij ging zelfs zo ver dat hij zo luidruchtig kuchte dat de rechtbankpresident een verwijtende blik op hem wierp.

Het was belangrijk dat Ben naar hem keek, omdat hij zich dan bewust zou worden van de gedaanteverandering die hij had ondergaan. Hij was niet gespannen, zijn gezicht bleef onbewogen. Rond zijn lippen een vage glimlach, die leek op de glimlach van zijn zoon. Dat was een soort boodschap die Ben aldoor maar niet zag.

Isabelle Hawkins had plaatsgenomen op de stoel waarop Galloway net had gezeten, haar handtas op haar knieën. Cavanaugh liep naar voren om haar te ondervragen, veel eenvoudiger dan Lane had gedaan.

'Sinds hoe lang zien uw dochter en Ben Galloway elkaar regelmatig?'

Ze antwoordde zacht: 'Voor zover ik weet, ongeveer zo'n drie maanden.'

'Harder!' werd er vanuit het publiek geroepen.

Ze herhaalde luid: 'Voor zover ik weet, ongeveer zo'n drie maanden.'

'Kwam hij regelmatig bij u thuis?'

'Hij kwam al lang daarvoor bij ons, voor mijn zoon Steve, maar toen lette hij nog niet zo op mijn dochter.'

'Wat is er afgelopen zaterdag gebeurd?'

'Dat weet u heel goed. Zij is met hem weggegaan.'

'Hebt u haar zien vertrekken?'

'Als ik haar had gezien, dan zou ik haar niet haar gang hebben laten gaan.'

'Hebt u vervolgens nog iets ondernomen?'

'Ik ben naar meneer Galloway gegaan, uit angst dat mijn man domme dingen zou doen als ik hem alleen zou laten gaan.'

'Wist meneer Galloway dat zijn zoon met Lillian was vertrokken?'

'Hij wist dat zijn zoon weg was, maar niet met wie.'

'Leek het hem te verbazen?'

'Nee, dat zou ik niet durven beweren.'

Er werden vast nog andere vragen gesteld, maar Dave lette er niet op, op zijn gezicht was nog steeds dat bericht dat hij tevergeefs aan zijn zoon probeerde te laten weten.

De officier van justitie was degene die tijdens zijn ondervraging vroeg: 'Toen u had gemerkt dat uw dochter was vertrokken, hebt u toen niet nog iets anders ontdekt?'

'Het weekloon van mijn man zat niet meer in het kistje.'

Daarna was Jimmy van Horn aan de beurt, die oogcontact zocht met zijn vader in de zaal en onveranderlijk antwoordde: 'Ja, Edelachtbare.... Nee, Edelachtbare... Ja, Edelachtbare...'

Een keer dat Ben bij hem thuis was had hij hem het automatische pistool van de dokter laten zien en Ben had gevraagd die aan hem te verkopen.

'Heeft hij je er vijf dollar voor betaald?'

'Ja, Edelachtbare.'

'Heeft hij je het geld gegeven?'

'Nee, Edelachtbare, drie maar. Hij zou me volgende week nog twee dollar geven.'

Er werd weer gelachen. De meeste juryleden, onder wie twee vrouwen, zaten stijf en stil als op een familieportret.

Galloway snapte niet meteen waarom de rechter opstond en zijn haar gladstreek terwijl hij wat onverstaanbare woorden brabbelde. Het betekende dat de zitting weer werd geschorst, een uur dit keer, zodat iedereen kon gaan lunchen. Alleen de juryleden en de getuigen die nog niet in het getuigenbankje hadden gezeten konden niet naar buiten.

'Ik veronderstel,' kwam zijn advocaat hem zeggen, 'dat het geen zin heeft u te vragen niet bij de middagzitting aanwezig te zijn?'

Hij knikte alleen maar. Waarom zou hij er niet bij zijn, zolang hij de kans had Ben te zien en bij hem te zijn?

'De twee psychiaters zullen hun verklaring afleggen. Als die niet al te lang spreken, bestaat de kans dat de officier van justitie vandaag zijn requisitoir houdt en zelfs dat ik mijn pleidooi kan houden. In dat geval is alles misschien nog vanavond afgerond.'

Dave reageerde niet. Hij keek ten slotte maar naar alles wat er om hem heen gebeurde alsof het hem niet persoonlijk aanging. Aangezien zijn zoon buiten de rechtszaal was gebracht, bleef hij er ook niet, ging een sandwich eten in een restaurant dat leek op Mack's Lunch. Bijna iedereen zat daar, maar niemand besteedde aandacht aan hem. Alleen de garagehouder uit Everton kwam hem de hand schudden, waarbij hij zei: 'Wat is het daarbinnen warm, zeg!'

De ene psychiater was op leeftijd, met een buitenlands accent, de ander van middelbare leeftijd, en toen Wilbur Lane hun een paar vragen stelde deed hij erg zijn best hetzelfde jargon te gebruiken als zij, waar hij overigens aardig mee vertrouwd leek te zijn.

Verschillende keren voelde Dave de blik van de rechter op zich gericht; dat kon toeval zijn: al die uren dat hij verplicht tegenover al die mensen zat, moest hij toch ergens naar kijken.

Er werd tot nog een laatste schorsing besloten, voor een paar minuten maar. Tijdens deze schorsing bleven Ben en Lillian in de zaal. Isabelle Hawkins profiteerde ervan om te gaan praten met haar dochter en de agent liet haar begaan. Dave daarentegen durfde niet op zijn zoon af te stappen, uit vrees dat die het niet op prijs zou stellen. Hij had zo gehoopt dat Ben naar hem zou kijken en zou merken dat hij inmiddels ook een heel stuk verder was gekomen.

De officier van justitie voerde twintig minuten met monotone stem het woord, waarna Cavanaugh aan de beurt was, die het nog korter hield, en ten slotte Wilbur Lane.

De juryleden bleven niet langer dan een half uur weg en vlak voor zij terugkwamen werden Ben en Lillian ook weer binnengebracht. Ze leken nog steeds volkomen op hun gemak; het meisje stak zelfs even haar hand op naar iemand in de zaal die ze herkende.

Nog geen vijf minuten later was het afgelopen.

De Grand Jury had unaniem besloten Ben Galloway moord met voorbedachten rade ten laste te leggen en Lillian Hawkins medeplichtigheid, en ze allebei te laten voorkomen voor het Hoger Gerechtshof van het district.

Dave keek zo intens naar het gezicht van zijn zoon tijdens het voorlezen van de uitspraak dat hij er pijn van in zijn ogen kreeg. Hij was er bijna van overtuigd dat hij een lichte trilling van lippen en neusvleugels kon waarnemen bij Ben, die meteen daarna weer die glimlach op zijn gezicht had en zich naar Lillian keerde, die ook al glimlachte.

Hij keek niet naar zijn vader. In het geroezemoes dat volgde probeerde deze tevergeefs in zijn gezichtsveld te gaan staan, verloor hem uit het oog, hoorde een stem, die van Lane, die wrevelig tegen hem zei: 'Ik heb alles gedaan wat menselijkerwijs mogelijk was. Hij heeft het zo gewild.'

Galloway nam het hem niet kwalijk. Hij mocht hem niet, net zomin als hij Musselman mocht, maar hij had verder niet iets in het bijzonder tegen hem.

'Dank u wel,' zei hij beleefd tegen de advocaat.

Deze ging verder, verbaasd dat de ander zo gedwee was: 'Het Hoger Gerechtshof komt niet eerder dan over een maand bijeen en misschien vind ik intussen nog iets wat ik in stelling kan brengen.'

Dave had niet in de gaten dat hij, toen hij de advocaat een hand gaf, bijna net zo'n glimlach op zijn gezicht had als zijn zoon die hele dag.

Buiten scheen de zon en de garagehouder nam de kapper en de oude mevrouw Pinch mee in zijn auto.

Hoofdstuk 9

Twee dagen later deed hij zijn winkel op de gewone tijd weer open en ging op zaterdag ook weer naar Musak, bracht niets ter sprake, keek vanuit de verte tegen de zon in naar de honkbalspelers en speelde daarna zijn potje triktrak met de meubelmaker die zijn opgelapte pijp rookte.

Weduwnaars hadden waarschijnlijk in het begin net zo'n gevoel als hij de eerste paar dagen had, iedere keer dat het hem overkwam dat hij zich omdraaide om iets tegen Ben te zeggen, of wanneer hij op bepaalde uren ongeduldig op de klok keek, in de veronderstelling dat zijn zoon te laat was. Minstens één keer betrapte hij zichzelf erop dat hij 's morgens een aantal eieren voor twee personen boven zijn koekenpan brak.

Toch ging dat snel over. Ben was altijd aanwezig, niet alleen in hun huis, maar ook in de winkel, op straat, overal waar hij was, en Galloway had nu niet meer zo veel behoefte aan zijn fysieke aanwezigheid als daarvoor.

Misschien was het proces dat zich in hem had voltrokken al voor de zitting van de Grand Jury begonnen, misschien wel die zaterdagavond bijvoorbeeld toen hij in zijn groene leunstoel op Ben zat te wachten zonder er nog al te zeer in te geloven, misschien nog wel daarvoor.

Zijn hele leven had gedraaid om zijn zoon en tot het moment dat hij hem zorgeloos, met een glimlach om de mond, voor de rechtbank zag, had hij het niet kunnen vatten.

Op een morgen in de loop van de week hing hij het bordje op de winkeldeur en ging naar Musak die in zijn werkplaats was. Bijna blozend, alsof hij bang was zijn diepste geheim te verraden, haalde hij drie foto's uit een enveloppe.

'Ik heb graag dat je deze drie bij elkaar in een lijstje zet,' zei hij terwijl hij ze in een bepaalde volgorde neergelegde op de werkbank. 'Een heel eenvoudig lijstje, gewoon een smal randje van glad hout.'

De eerste was een portretfoto van zijn vader op ongeveer achtendertigjarige leeftijd, precies zoals Dave zich hem herinnerde, met een snor die zijn wat spottende uitdrukking accentueerde. De tweede was een foto van zichzelf toen hij tweeëntwintig was en net was gaan werken op de fabriek in Waterbury. Zijn hals leek langer en magerder dan tegenwoordig. Hij stond half van opzij op de foto met één mondhoek iets opgetrokken.

De laatste was de foto van Ben die een van z'n vrienden een maand daarvoor had genomen. Hij had ook die lange hals en het was voor het eerst dat hij op de foto stond terwijl hij een sigaret rookte.

Musak bracht hem dezelfde dag tegen het eind van de middag het lijstje en Dave hing het meteen aan de muur. In zijn ogen vormden die drie portretten de verklaring voor alles wat er gebeurd was, maar hij besefte ook dat alleen hij dat kon begrijpen en dat, als hij zijn gevoel zou proberen te delen met iemand anders, met iemand als Wilbur Lane bijvoorbeeld, die ander hem in volstrekte verwarring zou aankijken.

Bleek uit de blik van die drie mannen niet eenzelfde

innerlijk leven, of eerder een door de omstandigheden in zichzelf gekeerd leven? Een blik van verlegen mensen, bijna een blik van berustende mensen, terwijl die identieke opgetrokken mondhoek op een onderdrukte opstandigheid wees.

Ze waren alle drie uit hetzelfde hout gesneden, precies het tegenovergestelde van een Lane, een Musselman, of zijn moeder. Volgens hem waren er op de hele wereld maar twee soorten mensen, degenen die hun hoofd buigen en de anderen. Als kind had hij daar al een plaatje bij, waarbij hij dacht aan degenen die op hun broek krijgen en degenen die een pak slaag uitdelen.

Zijn vader had zijn hoofd gebogen, zijn hele leven banken afgelopen om leningen los te peuteren en hij was overleden toen hij weer eens zat te wachten in de wachtkamer van een bankier. Zou de ironie van het lot bij hem op het allerlaatste moment een glimlach op zijn gezicht hebben getoverd?

Hij had in zijn hele leven één keer iets gedaan dat kon doorgaan voor een daad van verzet en vervolgens had hij daar de rest van zijn leven voor moeten bloeden; jaren later gebruikte zijn moeder dat incident nog om hem zwart te maken, zelfs na zijn dood, als ze tegen haar zoon zei: 'Je zal altijd een Galloway blijven.'

Het was gebeurd voor Dave was geboren. Niemand wist precies wat er was gebeurd, behalve zijn vader dan. Hij was ooit op 4 juli, Onafhankelijkheidsdag, 's avonds gewoon niet naar huis gegaan. Zijn moeder had opgebeld naar zijn club en diverse vrienden zonder iets wijzer te worden, en hij was pas de volgende ochtend om acht uur thuisgekomen. Zijn poging om ongezien naar zijn slaapkamer te gaan slaagde niet, net zomin als het gelukt was de lippenstiftvegen op de kraag van zijn overhemd te verwijderen.

Dit slippertje werd hem zijn leven lang verweten en iedere keer boog hij zijn hoofd. Toch was Dave ervan overtuigd dat hij blij was het te hebben gedaan. Het gebeurde wel dat hij zijn zoon een knipoogje gaf als zijn vrouw tegen hem uitvoer, alsof het kind dat al kon begrijpen.

Dronk hij soms om dezelfde reden iedere dag een aantal glazen whisky, nooit zoveel dat hij dronken werd, maar genoeg om de werkelijkheid enigszins naar de achtergrond te duwen?

Dave had nooit gedronken. Hij had zijn leven ingericht volgens zijn eigen maatstaven, die hij voor zichzelf goed wist, maar ook hij had zijn daad van verzet gepleegd, al iets heftiger dan zijn vader. Trouwen met Ruth was een uitdaging geweest, hij wist niet precies aan wat of wie, aan de wereld, aan alle Musselmans, aan alle Lanes overal op aarde.

Hij had haar expres gekozen om wat ze was en als hij er een van straat had kunnen plukken, had hij dat nog liever gedaan.

Op een dag zou hij Ben over het verzet van zijn vader in Virginia kunnen vertellen, maar helaas kon dat niet over wat hijzelf had gedaan. Wie weet zou zijn zoon het ooit uit zichzelf begrijpen.

Misschien zocht Dave in zijn blik een spoor, een teken van dat verzet, toen Ben nog een kind was. Indertijd was hij daar bang voor. Hij had haast gewenst dat zijn zoon uit ander hout was gesneden.

Maar Ben had wel degelijk hun blik, die van zijn vader en hem, van al die anderen die op hen leken. Sommigen lukte het hun leven lang te voorkomen dat hun verzet aan de oppervlakte kwam. Bij anderen komt het tot een uitbarsting.

De twee psychiaters hadden over Ben gesproken zonder te weten dat zijn grootvader, één keer in zijn leven, de nacht buitenshuis had doorgebracht en dat zijn vader een wijf getrouwd had met wie al zijn collega's het hadden gedaan. En Ben, die had toen hij zestien was de behoefte gevoeld het op zijn eigen manier op te lossen.

Dave had niet zonder reden de drie foto's in hetzelfde lijstje gedaan. Deze drie mannen waren onlosmakelijk met elkaar verbonden. Ieder van hen was als het ware een volgende fase binnen dezelfde evolutie.

Voor die tijd al ging er bijna geen dag voorbij zonder dat Dave aan zijn vader dacht. Momenteel was die bijna net zo aanwezig in huis als Ben.

Zijn moeder had hem niet geschreven, was hem niet komen opzoeken. Ze had het nieuws zeker uit de krant vernomen. Ze zei vast tegen Musselman: 'Ik heb altijd voorspeld dat het slecht af zou lopen.' En dat was ook zo. Ook Wilbur Lane had meteen voorspeld dat Ben aangeklaagd zou worden en voor het Hoger Gerechtshof zou moeten verschijnen. Dat soort mensen heeft altijd gelijk.

Voortaan was het enigszins of de cirkel rond was. Dave werkte zoals altijd, opende en sloot net zo zorgvuldig als eerst zijn winkel, borg de horloges en de sieraden uit de etalage voor de nacht in zijn kluis, deed zijn boodschappen bij de First National Store en ging boven zijn maaltijden klaarmaken.

De dorpsbewoners keken al niet meer nieuwsgierig naar hem. Hij was zelf eerder degene die hen soms choqueerde als hij over Ben sprak alsof er niets was gebeurd.

Ben was bij hem, in hem, de godganse dag, waar hij maar ging.

De maand ging voorbij zonder dat er een druppel regen viel en alle mannen liepen zonder colbertje buiten. Mensen van de politie hadden zijn bestelwagen teruggebracht, die hij nu en dan weer gebruikte.

Wilbur Lane kwam een dag naar Everton, ondervroeg leraren, vriendjes van Ben, winkeliers, maar bezocht Dave slechts kort.

'Aanstaande dinsdag vindt het proces plaats.'

'Hoe is Ben eronder?'

Het gezicht van de advocaat versomberde.

'Nog altijd hetzelfde, helaas!'

Deze keer was veel belangrijker dan de eerste keer en de drie dagen dat de zittingen duurden, had Dave dezelfde hotelkamer, die met de licht- en donkergroene strepen. Het hotel zat vol. Heel veel verslaggevers uit New York maar ook van elders, niet alleen met fotografen, maar ook met film- en televisietechnici. De rechter kondigde meteen bij de eerste zitting al aan dat er niets aan apparatuur werd toegestaan in de rechtszaal, maar je struikelde er verder overal over, in de wachtkamer, in de gangen, zelfs in de hal van het hotel waar de meeste getuigen waren neergestreken.

Ben was niet magerder geworden, eerder wat minder hoekig. Net als de eerste keer bleef zijn vader de hele eerste dag opgesloten in het zaaltje voor de getuigen. Hij had zich voorgenomen, als hij tenminste de kans kreeg, om een poging te doen uit te leggen wat hij had ontdekt, al was het alleen maar voor Ben. Niet noodzakelijkerwijs alles, maar de hoofdzaken, en hij had er goed op gelet daar tegen Lane niets over te zeggen.

De advocaat had waarschijnlijk weinig vertrouwen in hem, want hij stelde hem alleen maar een paar onbeduidende vragen en viel hem in de rede zodra hij dreigde uitvoeriger te antwoorden.

Alles wat hij nog haastig kon zeggen op het moment dat hij de getuigenbank al verliet, was: 'Mijn zoon en ik zijn onlosmakelijk met elkaar verbonden.'

Er was niemand die dit begreep. Hij kreeg zelfs de indruk dat zijn woorden een bepaalde verlegenheid veroorzaakten, alsof ze ongepast waren.

Toen hij even later naar Ben keek was hij ervan overtuigd dat die het evenmin had begrepen. Tijdens het proces wierp zijn zoon verschillende keren een verbaasde blik op hem. Hij zat niet net als de eerste keer naast Lillian, want er zaten een mannelijke en een vrouwelijke bewaker tussen hen in. De pleidooien en conclusies werden gehouden in een grotere zaal, met meer formaliteiten deze keer, maar tijdens de schorsingen wilde ook nu iedereen zo snel mogelijk naar buiten om te gaan roken of een colaatje te drinken.

De laatste dag herkende hij meer dan dertig mensen uit Everton die met een bus waren gekomen. De deur van de zaal bleef openstaan zodat de toeschouwers die dicht opeengepakt in de gangen stonden alles konden horen.

Voor hem werd een plaats gereserveerd, steeds dezelfde op de tweede rij, tussen een jonge advocaat uit Poughkeepsie en de vrouw van een van de magistraten. Wilbur Lane sprak twee en een half uur lang en de jury trok zich vlak voor vijf uur 's middags terug om te beraadslagen.

Nagenoeg iedereen verliet de zaal. Om zes uur, om zeven uur stond de stenen trap aan de voet van de witte pilaren van het Paleis nog steeds vol mensen en de mannen die in een nabijgelegen kroeg waren geweest stonken naar alcohol.

Sommigen maakten even een gebaar van herkenning naar Dave als ze langs hem liepen. Anderen waren vast verbaasd dat hij zo kalm bleef. Hij wist dat ze zijn zoon niet ter dood zouden durven brengen. In het vervolg zou hij hem gaan bezoeken in de gevangenis en zonder de zaak te willen overhaasten zou het hem op de lange duur geleidelijk aan heus wel lukken om Ben te laten begrijpen dat ze eigenlijk verschrikkelijk veel op elkaar leken. Had het bij hem zelf ook niet jaren geduurd om daar achter te komen?

In de schemering floepten alle straatlantaarns tegelijk aan, de neonreclameborden aan weerszijden van Main Street schitterden, muggen dansten rond de hoofden van de mensen. Sommigen die wisten hoe het ging en af en toe kwamen kijken of er al nieuws was, kwamen de anderen meedelen: 'Ze kunnen het nog steeds niet eens worden, vooral niet over het geval van het meisje. Ze hebben de president van de rechtbank laten roepen.'

Eindelijk, om halfelf, kwam er beweging in de mensenmassa en iedereen liep richting rechtszaal, die in het kunstlicht eerder deed denken aan een methodistenkerk of een collegezaal.

De plaatsen voor Ben en Lillian bleven nog een kwartier leeg en toen ze werden binnengebracht vond Dave dat ze er gespannen uitzagen, maar misschien was de verlichting daar wel debet aan.

Het Hof kwam binnen, daarna de jury. Het was doodstil, de voorzitter van de jury stond met een papier in zijn hand op om het vonnis voor te lezen.

Ben Galloway, zestien jaar, en Lillian Hawkins, vijftien en een half jaar, beiden uit Everton in de staat New York, waren schuldig bevonden aan moord met voorbedachten rade en werden ter dood veroordeeld. Gezien hun leeftijd echter raadde de jury aan de straf in levenslang om te zetten. Ergens in de rijen klonk een snik die op een kreet leek. Dat was Isabelle Hawkins die vergezeld werd door haar man, nuchter en gekleed als voor een bruiloft.

Zocht Ben met zijn ogen zijn vader op het ogenblik dat men aanstalten maakte om hem weg te brengen? In ieder geval kruisten hun blikken elkaar en Bens lip trilde, trok aan een kant iets omhoog zoals op de drie foto's.

Dave deed zijn uiterste best om alles wat hij in zich had in zijn blik te leggen en zo over te brengen op zijn zoon, die ten slotte door een kleine geverniste deur de zaal verliet.

Hij had geen tijd gehad op Lillian te letten.

De kranten en de radio brachten een paar dagen later het nieuws dat Ben Galloway naar Sing-Sing was overgebracht terwijl het meisje naar een strafinrichting voor vrouwen was gestuurd.

Verder kreeg hij een brief van Wilbur Lane, die hem op de hoogte stelde van het bedrag van zijn honorarium en kosten en hem meedeelde dat hij het recht had eens in de twee weken een brief aan zijn zoon te schrijven, en als die zich goed gedroeg mocht hij hem eens per maand bezoeken.

Het was heel dichtbij, nauwelijks zevenendertig kilometer, aan de oever van de Hudson. Hij betaalde Lane en er bleef bijna niets meer over van zijn spaargeld. Dat was ook niet belangrijk meer. Het was zo zelfs beter. Wat had hij met het geld kunnen doen?

Het eerste bezoek was het vervelendst, omdat Ben onhandelbaar bleef en erin volhardde zijn vader te bezien alsof ze niet allebei tot dezelfde soort behoorden.

Dave zou rustig alle tijd nemen om hem te laten inzien dat ze zich alle drie ieder op hun eigen manier verzet hadden, dat ze alle drie verantwoordelijk waren en dat hij, buiten de gevangenis, dezelfde prijs betaalde als zijn zoon.

Hadden ze zich niet alle drie verbeeld dat ze zich zouden bevrijden?

'Eet je goed?'

'Gaat wel.'

'Is het eten niet al te slecht?'

De woorden op zich waren niet belangrijk. Die waren in een bepaald opzicht net zulke bezweringsformules als het 'Yes, sir' van de neger onder de zon van Virginia.

'Is het werk zwaar?'

Ben was in een boekbinderij geplaatst en prikte zich daar vaak in zijn vingers, die vol wondjes zaten waarvan sommigen leken te zweren.

Aan het einde van de tweede maand hadden de kranten het opeens weer over de zaak en vermeldden dat Lillian Hawkins zwanger was en ze te zijner tijd naar een andere strafinrichting zou worden gebracht waar de baby bij haar kon blijven.

Toen Dave zijn zoon weer bezocht sprak deze er niet over, maar hij had meer dan ooit die berustende en zwaarmoedige blik in zijn ogen van de Galloways, met, voor wie het zien kon, diep van binnen een vlammetje.

Wie weet kon er een andere cyclus beginnen nu het lot was bezworen.

In zijn huis, in zijn winkel en zelfs op straat praatte

Dave vaak half fluisterend tegen zijn vader en zijn zoon die hem overal vergezelden. Binnenkort zou hij net zo tegen zijn kleinzoon praten om ook aan hem het geheim van de mensen te onthullen.

Shadow Rock Farm, Lakeville (Connecticut),
24 maart 1954